総合判例研究叢書

労働法 (8)

有斐閣

労働法・編集委員

石井照久

浅井清信

序

フランスにおいて、自由法学の名とともに判例の研究が異常な発達を遂げているのは、その民法典が百五十余年の齢を重ねたからだといわれている。それに比較すると、わが国の諸法典は、まだ若い。最も古いものでも、六、七十年の年月を経たに過ぎない。しかし、わが国の諸法典は、いずれも、近代的法制を全く知らなかつたところに輸入されたものである。そのことを思えば、この六十年の間に極めて重要な判例の変遷があつたであろうことは、容易に想像がつく。事実、わが国の諸法典は、それに関連する判例の研究でこれを補充しなければ、その正確な意味を理解し得ないようになつている。

判例が法源であるかどうかの理論については、今日なお議論の余地があろう。しかし、実際問題として、多くの条項が判例によつてその具体的な意義を明かにされているばかりでなく、判例によつて特殊の制度が創造されている例も、決して少くはない。判例研究の重要なことについては、何人も異議のないことであろう。

判例の創造した特殊の制度の内容を明かにするためにはもちろんのこと、判例によつて明かにされた条項の意義を探るためにも、判例の総合的な研究が必要である。同一の事項についてのすべての判決を探り、取り扱われた事実の微妙な差異に注意しながら、総合的・発展的に研究するのでなければ、判例の研究は、決して終局の目的を達することはできない。そしてそれには、時間をかけた克明な努力を必要とする。

幸なことには、わが国でも、十数年来、そうした研究の必要が感じられ、優れた成果も少くないようになつた。いまや、この成果を集め、足らざるを補ない、欠けたるを充たし、全分野にわたる研究を完成すべき時期に際会している。

かようにして、われわれは、全国の学者を動員し、すでに優れた研究のできているものについては、その補訂を乞い、まだ研究の尽されていないものについては、新たに適任者にお願いして、ここに「総合判例研究叢書」を編むことにした。第一回に発表したものは、各法域に亘る重要な問題のうち、研究成果の比較的早くでき上ると予想されるものである。これに洩れた事項でさらに重要なもののあることは、われわれもよく知つている。やがて、第二回、第三回と編集を継続して、完全な総合判例法の完成を期するつもりである。ここに、編集に当つての所信を述べ、協力される諸学者に深甚の謝意を表するとともに、同学の士の援助を願う次第である。

昭和三十一年五月

編集代表

小野清一郎　宮沢俊義
末川博　我妻栄
中川善之助

凡　例

一　判例の重要なものについては、判旨、事実、上告論旨等を引用し、各件毎に一連番号を附した。

二　判例年月日、巻数、頁数等を示すには、おおむね左の略号を用いた。

大判大五・一一・八民録二二・二〇七七（大審院判決録）

（大正五年十一月八日、大審院判決、大審院民事判決録二十二輯二〇七七頁）

大判大一四・四・二三刑集四・二六二（大審院判例集）

最判昭二二・一二・一五刑集一・一・八〇（最高裁判所判例集）

（昭和二十二年十二月十五日、最高裁判所判決、最高裁判所刑事判例集一巻一号八〇頁）

大判昭二・一二・六新聞二七九一・一五（法律新聞）

大判昭三・九・二〇評論一八民法五七五（法律評論）

大判昭四・五・二二裁判例三・刑法五五（大審院裁判例）

福岡高判昭二六・一二・一四刑集四・一四・二一一四（高等裁判所判例集）

大阪高判昭二八・七・四下級民集四・七・九七一（下級裁判所民事裁判例集）

最判昭二八・二・二〇行政例集四・二・二三一（行政事件裁判例集）

名古屋高判昭二五・五・八特一〇・七〇（高等裁判所刑事判決特報）

東京高判昭三〇・一〇・二四東京高時報六・二・民二四九（東京高等裁判所判決時報）

札幌高決昭二九・七・二三高裁特報一・二・七一（高等裁判所刑事裁判特報）

前橋地決昭三〇・六・三〇労民集六・四・三八九（労働関係民事裁判例集）

その他に、例えば次のような略語を用いた。

裁判所時報＝裁時　家庭裁判所月報＝家裁月報

判例時報＝判時　判例タイムズ＝判タ

目　次

不当労働行為からの救済命令

三藤　正

救済手続

大和哲夫

目次

不当労働行為からの救済命令

三藤　正

はしがき

旧稿「救済命令について」を書いたころは（それは僅か七年前なのだが）、こんにちではもう通説化しているような不当労働行為の基礎理論的なことでさえ異端視されかねない有様であつたので、あの論文では、制度全体を包む理論を、具体的な個々の事件についての救済命令の在り方の分析と整理のうえに浮きあがらせてみようと思つたのだが、凡手のおよばざる、命令の形式的整理、カズィスティッシュな試論ともうけとられるようなことになつてしまつた。そこでこんどは、判例の総合研究としてはむしろ趣旨に反するかも知れないと思いながら、救済命令理論の筋を通して、その筋のうえで命令や判例の推移を追う方法をとつてみた。こんどは逆に硬直すぎるといわれるかも知れない。

本稿では、昭和三五年八月末までに公の刊行物にのせられたものを中心としたが、それでも、これまでに出された救済命令、判例は数百にのぼり、それを問題別に整理してみると延べ千件を越える。その完全に精密な整理は、わたくしの頭脳的活動のキャパシティー以上だつた。そのうえ、困つたことには理論の筋を通そうとすると、他の角度からは重大なことでも、この角度からはそう大きくはとり扱えない問題もでてきた。間違いの訂正や、いい足りない点の補足やは別の機会に譲らせていただきたい。これまでわたくしが書いたものでいえば、「救済命令について」（「不当労働行為の諸問題」所収）、「命令における自由裁量」（季刊「労働法」二一号所収）、「不利益取扱」（「労働法講座」第二巻所収）、「不当労働行為における不干渉の原則」（「法律時報」三〇巻三号、四号所収）などが、いくらかお役に立つだろう。なお、筋に埋もれた個々の問題の検出のために、若干の重要問題は、ゴチックを使つて示しておいた。

一 「請求にかかる救済」

労組法二七条四項の規定によれば、不当労働行為からの救済は、申立人の「請求にかかる救済」の全部又は一部を「認容」することによつて行われることとされている（中労委規三二条二項三号、四号）。救済手続の機構が、基本的に、民訴的な当事者訴訟の方式をとつている以上、それを申立人の請求にかけるのは、当然の結論である。しかし、もともと救済手続が当事者訴訟主義をとつていることそのものが、このような制度の在り方からして問題であるだけでなく、もしその根本的な考え方の方向に従つて、ここにいう「請求する救済」をもつて、民訴的な「請求の趣旨」におけると同様に、厳格に解するとすれば、制度の目的とするところを没却するおそれが多分にある。

いうまでもないことであるが、もともと不当労働行為制度の目的とするところは、憲法二八条が、わが国の労働政策として定めるところの労働組合主義の労働慣行の国家権力による保障にある。ところが、この慣行（Übung）は、いまだ厳格な司法処分の尺度たるに耐えるほどには、固定していない。というよりも、いま直ちにそれを司法処分の尺度にまで固定化してしまうことは、むしろそれが将来その在るべき姿に沈澱してゆくことを妨げる危険さえももつであろうと思われる。この慣行は、慣行といわれる通りに、もはや習俗（Sitte）ではないが、まだ、司法裁判の規範としての法律（Recht）にまで昇華してはいないのである。このことを前提として考えれば、第一に、それが、国の労働政策として、国家権力によつて保障されるべきであるとしても、その場合の尺度がこうである以上、国の労働政策にとつて好ましい状態は、司法処分のように強力ではあるとしても、厳格に法規裁量によらなければならない手段よりは、行政処分のように、強制力では弱いが、ゆたかな公益判断による自由裁量の広い活用によつて、常に形成されながら実現せられてゆくことが望ましいのであつて、そもそも、この慣行を保障するための国家権力の行使が、裁判所にではなくて、労働委員会という行政機関に委ねられたゆえんのものは、ここにあつた。もともと、このような国の政策実現の場合には、その救済の方法をはじめから法的に予定しながら、刑事訴追的方法をとつてその目的を達するのが常例であつて、独占禁止法違反についての公正取引委員会の手続が規定するような形が、がんらいあるべき方法なのである（独禁法七条、八条の二、一七条の二、二〇条、四八条、五四条）。この制度の母法であるワグナー法およびタフト＝ハートレイ法も同様であつて（タ＝ハ法一〇条(b)項(c)項、Rule and Regulations 203.12, 203.45）、労組法のような方式は、異例である。そこで、このような、労組法二七条の立法の当否は、しばらくおくとしても、第二に、不当労働行為制度が、現行法体系の下で、少なくともその所期の目的を達するには、厳格に、当事者の意思にのみその救済の手段をかからしめ、これに限定することは、むしろ制度の意義を没却するおそれがある。救済命令における「請求する救済」のもつ、「請求の趣旨」を思わせるような司法処分的厳格性を、その民訴的な手続の構成にもかかわらず、労働委員会のもつ行政処分としての自由裁量の弾力性によつて緩和し、その調和の上で救済命令が与えられる必要がある。かくして、救済命令の問題は、いわば、この厳格性と弾力性との調和の問題、自由裁量権限の着弾距離、その限界の問題に帰する。

二　自由裁量権限の一般的是認

労働委員会が救済命令を発するに当つては、一般に、行政処分に通常認められる程度の自由裁量権限があることについては、すでに古くから、判例もまた是認する。とくに、次に引用した大阪高裁昭二七・八・一五判決では、その旨が明瞭に示されている。

【1】「成立に争のない甲第一号証（二五岐労委不第一号事件命令書写）の記載によれば、申立人たる補助参加人は、労働組合法（以下法と略称する）第二十七条の救済を求める旨申立てているだけで、救済内容を具体的に明示していないことを認めることができる。しかしながら、不当労働行為の救済制度のねらいは、できる限り不当労働行為がなかつたと同じ状態を再現し、普通の訴訟では到底できないような具体的事案に則した救済を与えることにあり、それは、一応不当労働行為の態容と当事者の申立とを基本として考案されるであろうが、組合活動を理由に解雇された労働者については、これを復職させることが一番普通の事例であろう。従つて、本件のように解雇を不当として救済の申立をする場合には、申立が単に法第二十七条の救済を求めるということであつても。前記甲第一号証中申立人の主張の要旨に照して考えるときは、申立人の意図する所は、同人の復職にあつたと解するに難くないから、救済内容が明示されていないとしても、本件命令の効力を左右する程の違法ということはできない」（揖斐川電工事件、岐阜地判昭二六・七・二労民集二・二）。

【2】「本件救済内容（注—声明書の掲示と郵送の命令）の当否の点であるが、そもそも不当労働行為救済制度の目的は、できるだけ不当労働行為がなかつたと同じ状態を再現するにあり、その実質は、あくまで行政処分なのであるから、労働委員会はその裁量によつて行為の停止はもとより、当該不当労働行為なかりし以前の原状回復を命じ、また委員会の命令を工場事業場内の一定の場所に掲示せしめて同様の不当労働行為の将来における反覆の危険を

防止するなど個々の具体的事件に即してこれが救済を実現するために必要であり、妥当と思料する一切の処分を命じ得るものというべきである。而して被告が原告会社の社長山岡孫吉に対して、本件の如き内容の声明書を長浜工場の掲示場に掲示すべきことを命じたのは、叙上の意味において、本件不当労働行為に対する救済を実現するための処分として適切妥当というべく、また申立人たる件外西川善夫等に対して、これが郵送を命じたことも、同人等が本件不当労働行為のなされた当時における組合員であり、本件救済命令の申立人である点に鑑みるときは、救済方法としての範囲を著しく逸脱し、何等その実益なき不法の処分とまではいい得ない」（山岡内燃機事件、大津地判昭二六・七・一七労民集二・四）。

【3】「本件救済命令の内容の当否について判断するに、不当労働行為救済命令は、できるだけ不当労働行為のなかつたと同じ状態に回復することを目的とする行政処分であつて、しかも如何なる不当労働行為があつた場合に、如何なる救済命令を出すべきかについては、全く法規に定めるところがない点から考えると、労働委員会はその裁量によつて、申立の趣旨に反しない限り、具体的事件に即して、右の目的を達するに適当な処分を命じ得るものと解すべきである。」そして、前記のような声明書の掲示と郵送を命じたことは、「右救済命令の目的に照して、その裁量の範囲を著しく逸脱し、何等実益のない処分ということはできない」（山岡内燃機事件、大阪高判昭二七・八・一五労民集三・四）。

しかし、次の判決のようにいうときには、自由裁量の権限について、少しく無制約すぎるとしなければならないように思われる。

【4】「被告労働委員会の発した本件原状回復命令が被告服部の請求の範囲を逸脱したものであるから違法であるとの原告の主張について考えてみるに、労働委員会の発する原状回復命令は不当労働行為の救済の申立を前提とすることはいうまでもないが、もともと行政機関たる労働委員会の発する原状回復命令が一種の行政

処分である以上、労働委員会は民事訴訟法における裁判所の如く申立人の申立の範囲に拘束されるものではなく、その申立と不当労働行為の態容及び諸般の情勢を考慮して、不当労働行為を受けた労働者の救済に最も適切妥当な救済方法を具体的に定めることができるものと解するのを相当とし、労組法第二十七条第二項（注―現在は四項）の規定もこの点について何等の制限を付したものとは解されない。このことは、中労委規則第四十三条第二項第三号に命令の記載事項として「主文（請求にかかる救済の全部又は一部を認容する旨及びその履行方法の具体的内容）」と規定して、履行方法の具体的内容を請求と区別していることに徴しても明白である」（一畑電鉄事件、松江地判昭二七・一・九、不当労働行為命令集一救編二三四の四）。

三　自由裁量の一般的限界

一　「請求にかかる救済」の一定性と明瞭性

労働委員会の救済命令が、たとえその広汎な自由裁量にまかされているとしても、手続の制度上の基本機構が当事者訴訟の形をとつている以上、申立人が具体的に、いかなる救済を求めているかが、文字の上でうまく表現されてないとしても、その自由裁量による判断を可能ならしめうる程度にまでは一定し、また明らかにされていることを要するのは、当然であろう。ところが、不当労働行為制度施行の初期にあつては、この制度の目的、在り方への理解の不足があり、いくらかの問題があつた。

前記【1】はそのひとつの場合に関する。本件では、被解雇者たる申立人は、単に「労組法二十七条の救済を求める」とだけ申立てていたのに対し、岐阜地労委は、「懲戒解雇処分の取り消し」を命じたものであり（昭二五・六・一二）、これに対して、岐阜地裁は、前に引用したように、「申立人の主張の要旨に照らして考えるときは、申立人の意図する所は、同人の復職にあつたと解するに難くないから、救済内容が明示されていないとしても、本件命令の効力を左右する程の違法ということはできない」としたのであつた。要するに、救済内容が一見不明確であるとしても、当事者の普通の意思から推測して具体化しうる限りは、違法でないというのである。しかし、これを超えて、とうていその具体的な意思が明確にはつかみ難く、または一定しえないような場合には、救済をしようにもしようがないので、申立が却下されるのもやむをえない（中労委規三四条一項一号）。申立人が「㈠不当労働行為者の職務執行停止、㈡当組合並に組合員の被つた損害の賠償及び原状回復、㈢関東配電労組（御用組合）の労組法による資格否認の措置、㈣其他即時然るべき救済」を求めて申し立てを行つたに対し、中労委はいう。

【5】「不当労働行為において求める救済の内容は、必ずしも明確な文字を以て現わされる必要はないが、申立の全趣旨から見て如何なる救済を求めているかと云うことを推知し得るものでなければならない。しかるに本件申立書は、これを如何に精査しても、以上㈠ないし㈢の三項目において主張された以外に、救済内容として推知し得るものがあるとは認め得ない。故に、この点については、特に判断を加える必要を認めない」（電産本部事件、中労委昭二七・四・一六）。

また、「請求する救済の内容」の記載なく、補正もされなかつたに対し（中労委規三四条一項一号）、「再審査申立の趣旨が明確でない」との理由で却下されたものもある（愛知ゴム事件、中労委昭二六・一二・一九）。

二　行政処分としての一般的限界（中労委規三四条一項四号、六号参照）

（一）　司法処分との関係　　労働委員会は、たとえ準司法機関と呼ばれるにしても、それはあくまでも行政機関であるから、司法機関のみがなしうるような司法的判断をなし、司法処分をすることはできない。判例はないが、例えば、憲法違反の判断(生研製薬事件、中労委昭二六・一二・一九)、政令二〇一号違反の判断(吉田村役場事件、鹿児島地労委昭二六・三・六)、公法上の違法処分の判断(東京都庁事件、東京地労委昭二五・七・三、宇都宮市役所事件、栃木地労委昭二五・五・一)、就業規則・労働協約の合法性、効力、その違反の判断(西重長崎事件、長崎地労委昭二六・九・一四、松浦炭鉱事件、長崎地労委昭二六・四・一一、元山運輸事件、山口地労委昭二九・六・二五、平安工業事件、京都地労委昭二九・三・一二、島原鉄道事件、長崎地労委昭二九・六・二、一畑電鉄事件、島根地労委昭二六・一一・二七、諫早トラック事件、長崎地労委昭二七・一一・一四、新大同製鋼事件、愛知地労委昭二六・三・三〇、昭和自動車事件、佐賀地労委昭二六・一二・二三、富士産業事件、群馬地労委昭二六・三・三〇)、和解協定の履行請求(柳沢印刷所事件、長野地労委昭三四・九・二四)、不当労働行為を内容としない身分の確保と賃金支払命令の請求(武蔵造機事件東京地労委昭二四・一二・一五)、民法上の不当解雇の判断(新大同製鋼事件、神奈川地労委昭二五・七・五、東京都庁事件、東京地労委昭二五・七・三、井上電機事件、京都地労委昭二七・三・三一)、会社職制(不当労働行為者)の職務執行停止請求(電産本部事件、中労委昭二七・四・一六)、第二組合又は親交会などの解散命令または活動停止の請求(岩倉組事件、北海道地労委昭二七・一二・二四、函館バス事件、北海道地労委昭三〇・九・九、林銀紙器事件、大阪地労委昭二九・五・二一、日通福島事件、福島地労委昭二九・六・二、仙台鉄道事件、宮城地労委昭二八・四・三〇、同事件、中労委昭二八・一二・一二、島原鉄道事件、長崎地労委昭二九・六・二、油谷発条事件、兵庫地労委昭二七・八・一九、平安工業事件、京都地労委昭二九・三・一二、駐留軍成増事件、東京地労委昭二九・五・二〇、塩田組事件、兵庫地労委昭三二・四・三〇、長野自動車事件、大阪地労委昭三二・一一・二五)、御用組合の資格否認請求(電産本部事件、中労委昭二七・四・一六)、協約締結の強制(林銀紙器事件、大阪地労委昭二九・五・二一)、——なお、御用組合の処理については、後述する。——企業再開命令(釜吉鋳造所事件、石川地労委昭三三・三・二六、山本造船事件、中労委昭二六・九・七)、損害賠償の請求(洛鳳製紙事件、京都地労委昭二六・一二・二六、明光サービス事件、和歌山地労委昭二六・九・一七、新共和タクシー事件、大阪地労委昭三〇・三・九、川田鉄工所事件、広島地労委昭三四・五・二四、新大阪印刷事件、大阪地労委昭三五・三・二三)、慰藉料の請求(松浦炭鉱事件長崎地労委昭二六・四・一一、検数神戸事件、兵庫地労委昭二七・三・一八)、中立費用の請求(明光サービス事件、和歌山地労委昭二六・九・一七、大林組事件、愛知地労委昭二五・三・三一、検数神戸事件、兵庫地労委昭二七・三・一八)のようなものについては、救済命令を出すことはできないとするのが労働委員会の立場である。

(二)　他の行政機関の処分との関係　例えば、基準法違反の判断(生研製薬事件、中労委昭二六・一二・一九)のごときがそれである。むろん、救済は与えられない。

（三）　立法機関との関係　労働委員会は、むろん立法機関ではないから（中労委の規則制定権限（労組法二六条）を除き）、立法行為はなしえない。立法的性質をもつ命令として問題になつたのは、**将来に対する抽象的不作為命令**を出すことができるか、であつた。もともと、不作為命令は、救済命令のひとつの常素たるべきものであるが、それが、単に現に行われている不当労働行為の停止などにとどまらないで、将来の不当労働行為に対して不作為を命じ、かつその内容が抽象的である場合にも、これが許されるか、それは、いわばひとつの立法的な処分ではないか、というのがこの問題の焦点である。

労働委員会の命令の中にも、主文だけからみると、将来に対して、一見かなり、抽象的とみられる表現をもつて、不作為を命じているものがある。とりわけ、団交拒否事件、支配介入事件などでは、その事件の性質上、当然に、そうなる場合が生じてくるのであるが、不利益取扱事件でも、同様の事情がないとはいえない。例えば、不利益取扱事件でみると、例は少ないが、「被申立人は、申立人組合の組合活動に関し、正当な理由なくして、組合執行機関の構成員たる従業員を解雇等の懲戒に処し、その他不利益な取扱をしてはならない」（三越事件、東京地労委昭二七・二・七）という一見かなり抽象的なものもあれば、「使用者に、脱衣場の使用について、組合員と組合脱退者とを差別してはならない」（油谷発条事件、兵庫地労委昭二七・八・一九）というように、いくらかの具体性をもつものもあり、また「被申立人は、組合の運営に支配介入し又は組合活動をしたことを理由として、組合員に対し不利益な取扱いをしてはならない」（藤森組事件、長野地労委昭二九・一・九）のように（「正当なる」がないから）労組法七条一号を越え、その他では、同条一号、三号とほぼ同様の表現をもつて命令しているものがある。団交拒否事件については、例えば「被申立人は、

（日付中略）になした団体交渉拒否の通告を取消し団体交渉に応じなければならない」（東洋鋼鈑事件、山口地労委昭二四・九・一七）、「使用者は、Ａ組合の申入れにかかる団体交渉につき、今後Ｂ組合との間に存する労働協約を理由として此を拒否してはならない」（検数神戸事件、兵庫地労委昭二七・三・一八）、「被申立人は、申立人組合がその組合員名簿を提出しないことを理由として、その代表者との団体交渉を拒否してはならない」（鈴木ミシン事件、宮城地労委昭二四・八・一一）などのものが通常の形である。支配介入事件では、抽象性が強く、「被申立人会社は、申立人組合の運営に介入し、または第二組合の結成を援助してはならない」（日本糧産化学事件、北海道地労委昭三二・六・二九）、「使用者は、申立人等が労働組合を結成しようとする場合、これに立入つて指図をなし、或はその結成の妨害となる行為をしてはならない」（菅野鋳造事件、大阪地労委昭二五・六・三）、「会社は、申立組合員に対し、組合脱退を慫慂してはならない」（十和田観光事件、青森地労委昭三三・五・二五）などがその通常の形であるが、なかには「被申立人は、組合及びその組合員に対し、その役員を非難し、右連合会からの離脱、組合脱退若しくは、闘争離脱等を慫慂するような文書を配布し、掲示し又は同様の言動を行つてはならない」（大土森鉱業所事件、宮城地労委昭三二・一一・五）のように、やや具体性をもたせているものもある。

労働委員会内部でも、早くから、将来にわたる抽象的不作為命令が合法的であるかどうかについて疑問を抱くものがあつた。黄犬契約の禁止に関した深日瓦事件で大阪地労委は、次のように考えた。

【6】「労働委員会は、申立人の求めるような今後将来に亘つて尾白が組合活動することを使用者が妨害してはならないという包括的な命令を発し得るであろうか。惟うに、労働委員会が命令を発してこれが確定した時、これに違反する使用者は多額の過料を科せられ、更に命令が裁判所の確定命令によつて支持された時は、

禁錮又は罰金に処せられるのである。そうするともし申立人の求めるような将来に亘つて具体的に規定することができない組合活動一般を禁止することは、結局制裁の裏付けをもつた法規を設定するに等しいというべきである。労働委員会は、勿論いわゆる行政委員会の一つである。しかしそれは例えば人事院が国家公務員の人事関係に関していわゆる準立法的権限を包括的に認められていると異り、単にその行う手続についてのみ準立法的権限（労組法二六条）を有するにすぎないから、申立人の求めるような救済命令を発することは、労働委員会の権限を超えるものといわねばならない。そこで、昭和二十五年十月二十七日使用者と尾白との間に結ばれた約定を理由に同人の申立人組合の組合員としての活動を妨害することを禁止し、且つ右禁止を実効あらしめるに必要な措置を命ずることを相当と認め」て、「使用者は昭和二十五年十月二十七日その従業員尾白庄蔵と結んだ約定を理由に同人が申立人組合の組合員として活動することを妨害してはならない」とし、今後妨害しない旨を組合および尾白へ通告すべきことと、その掲示を命じ、なお、その履行状況の労委への報告をも命じた（深日瓦事件、大阪地労委昭二六・一・八）。

この考え方は、さらに受けつがれた。そして、「今後における不利益処分の禁止」の請求は排除される。

【7】「労組法七条一号に違反があつた場合申立人側においてその救済を求めるには、そのなされた過去の違反行為の事実の具体的形態を把握し、その形態の事実が再び繰返されないように救済を求めるべきであつて、その過去の具体的事実を離れた将来に亘つての違反行為の禁止を求めることは許されない。何となれば、労働委員会の救済命令は、現在具体的に使用者によつて労働者の団結権が侵害せられ、これらによつて現実に不利益な処分が行われた時に、これを排除することを目的とするものであるから将来に亘つて、抽象的に法規範を設定することはその本来の任務を逸脱した越権行為になるからである」（長崎造船事件、長崎地労委昭二七・九・一三）。

その他不利益取扱に関して同趣旨を述べるものに、富士鋼業事件（大阪地労委昭二七・二・一三）、元山運輸事件（山口地労委昭二九・六・二五）がある。

団体交渉の拒否については、「使用者は、申立人組合との団交に関し組合がその代表者として選出又は委任した者に対し、その者がレッド・パージによる解雇者であることを理由にしてその者に対し、又はその者を含む代表者に対し、使用者の経営所の内外を問わず、その団交を拒否したり、又は団交のための使用者の経営所内に立入ることを拒否してはならない」との命令が求められたに対し、次のように述べて、これを排斥した命令がある。

【8】「申立人の救済を求める内容は、整理該当者である組合役員が組合代表者として団交を行うことを拒否してはならない旨に限定されなければならない。なんとなれば、労組法七条二号違反の行為があつた場合に申立人側においてその救済を求めるにはそのなされた過去の違反行為たる団交拒否の具体的形態を把握し、その形態の拒否が再び繰返されないように救済を求めるべきであつて、その過去の具体的形態を離れた他の形態による違反行為乃至広く抽象的一般的に団交を拒否してはならないとする如き救済を求めることは許されないと解すべきである。蓋し、労働委員会の救済命令は現在具体的に使用者によつて労働者の団結権、団交権が侵害された場合に、その具体的な侵害を具体的に排除することを目的とするものであつて、抽象的一般的な法規範を設定することを目的とするものでないからである。」さらに、整理解雇されたものが、将来役員として団交に当る可能性があるかも知れないという申立人の主張に対しては、このような「蓋然性をもつて、今直ちに労働委員会の救済を求めることは、労組法上特別の規定なき以上救済を求める利益を欠く」とする（阪神電鉄事件、大阪地労委昭二六・五・一三）。

次に支配介入事件については、次のものがある。

【9】「使用者は申立人の組合活動を妨害したり第二組合を援助してはならないとの命令を求めるので考えてみると、右のような一般的抽象的な事柄は救済命令によらないでも既に労組法自体で明かな処であるのみならず、かかる事柄につき若し救済命令が発せられたならば、此が確定したり或は緊急命令が発せられたときには、その違反に対しては直ちに過料の制裁が課せられる事になり、労組法七条と異つた法規を設定することになる。従つて具体的に妨害或は援助に該る行為を使用者がなす虞れがあることにつき立証がない以上、このような一般的抽象的な禁止命令は此を為すべきではない」（検数神戸事件、兵庫地労委昭二七・三・一八）。

【10】「申立人組合は、設立以来日未だ浅く組合の基礎も確立されておらず、組合員の大部分が年少の女子であり、将来もかかる不当労働行為が繰返されるおそれが存するから、組合の基礎が定まるまでの保障として、将来にわたる不特定な不作為命令を求めるというのであるが、かかる命令は新なる法規の設定に等しく、労働委員会としての権限を超えるものと考えられるから、この点についての申立は採用しない」（道産製菓事件、北海道地労委昭二八・一二・二四）。

その他、油谷発条事件（兵庫地労委昭二七・八・一九）、岩倉組事件（北海道地労委昭二七・一二・二四）などが同趣旨を述べている。そして、注目すべきことは、このような違法説がとられるに伴つて、これをとる地労委の命令には、微妙な変化がみられるようになつたことである。すなわち、棄却されたものは別として、初期の救済命令には、包括的命令にある程度の具体性を与えながら、同時に文書の掲示をも命じたのであつたが（深日瓦、元山運輸、検数神戸、油谷発条事件など参照）、富士鋼業事件を境目として、包括的不作為命令を避け、単に文書の交付（富士鋼業事件）または、文書の掲示（岩倉組、道産製菓事件）のみを命じるものが現われた。いいかえると、将来にわたる抽象的不作為命令の違法性への考慮から、それへの代用品として、すでに他の意味で行われてきていた文書の掲示という具体的方法を利用して、同様の効果を挙げようとするにいたつたのであつて、その当否は別として、この方法は、その後、前に引用したような違法性についての明かな理由を挙げないでなされた多くの命令でも、きわめて数多く採用されるようになつている。後に述べるように、むろん、文書掲示を利用することはいいとしても、これはそもそもこうした目的のために採用される救済方法ではないのであるから、このような逃げ路に利用するのは、ほめるべきことではない。むしろ逆に、その目的を忘れさせ、効果を弱めるおそれさえもある。いわんや、今日においては、将来にわたる抽象的不作為命令の限界は、ほぼ異論のないところにまで確定しているのであるから、その限りで、充分に命令主文を練ればいいのであつて、文書掲示などの方法に逃げる必要はないと思われる。

さて、それはそれとして、将来に対する抽象的不作為命令については、労委内でも一方で前記のように違法説が現われつつあるとともに、他方では、なおそうした形の命令が、出されていた。最初にこの点について司法上問題となつたのは、日本食糧事件に対する京都地労委の命令に対する京都地裁の判決である。この命令は、使用者が組合結成を阻止しようとする意図の下に、組合員を解雇したに対して、その復職を命じた事件であるが、その主文は、申立人等の復職と賃金遡及払を命じながら、

【11】　「被申立人が、労働組合の結成を阻止せんとする意図の下に申立人を解雇したものとの前記認定の下に、将来も同様のおそれなしとしない。よつて厳に戒しめる必要あるものと認め」て、「被申立人は、今後労働組合の結成ならびにその運営を支配し又は介入してはならない」としたのであつた（日本食糧事件、京都地労委昭二七・三・一三）。

煩をいとつて引用はしなかつたが、これまでの、一見将来にわたる抽象的不作為命令とみられる多くのものにおいても、その理由の中では、ほぼ同趣旨のことが述べられていたのは、いうまでもない。これに対して、命令の取消を求める訴訟で原告たる会社は、(1)命令の客体の明示がない。故に会社は、申立人だけでなく、全労働者に対してかかる行為を禁止されることになる。(2)支配介入というのは、労組法七条三号の規定の字句そのままで具体化されていない。(3)労委は、過去の事実に対し救済命令を出す権限があるけれども、「将来にわたり具体的に規定し得ないようなかかる命令を出し、あたかも原告会社の将来の行為に対して刑罰規定を設定するに等しいような結果を生じうる可能性ある処分をなす権限は有しない」と主張し、被告労働委員会は、命令理由記載の諸事実からして、「再び事を構えて不当労働行為の行われるであろうことは火を見るよりも明かであり、その危険の存する以上、前掲不作為の禁止命令を発することは必要である」と主張した。

判決は、原告の主張を認めて、次のようにいう。

【12】「命令主文（中略）は、労組法第七条第三号の規定そのままの字句である。労働委員会の命令が確定したときこれに違反する使用者は過料の制裁を受け、更に命令が確定判決によつて支持されたときは禁錮若くは罰金に処せられ又はこれを併科されるのである。それを考えると前記の如く将来に亘つて具体的に規定することのできない命令を発することは、結局制裁の裏付けをもつた法規を設定するに等しいというべきである。しかるところ労働委員会の職務は、申立により不当労働行為の有無を判定し、この認定に基いてその是正と原状回復を命ずることでなければならない。そうすると主文（中略）の如き命令を発することは労働委員会の権限を超えるものであり、主文（中略）はこの点において違法である」（日本食糧事件、京都地判昭二八・四・三労民集四・二）。

要するに、判決は、将来に対する抽象的不作為命令は、罰則を伴う法規の設定である故に、労委の権限を逸脱して違法であるというのであつて、労委内に前からあつた違法説と全くその軌をいつにしている。しかし、命令が抽象的であるかどうかは、主文だけからは決定しえない。理由を併せてその命令全文の趣旨から判断せられるべきものであつて、それでもなおかつ具体性のない場合は、違法ともしえようが、そうでない限りは、抽象的というのは当らない。また、事件そのものの性質上、とりわけ支配介入にいたつては、その使用者のとる方法上のパタンが確定しがたいものである以上、主文としては、ある程度の抽象性をまぬがれないと思われるから、それだけで、ただちに違法とするには当らない。理由と併せてある程度確定しうる具体性が認められる限り、単に主文の字句がそうだからといつて、違法とするのは誤りであると思う。そして、日食事件の地労委命令では、かなりその事実がはつきりしているし、他の場合も同様である。また、他のあらゆる、一見抽象的な命令でも触れられているように、そういう行為がその事件の当事者間でさらに繰返されることが予見され、将来のそうした行為の再発防止の必要が明らかに認められる場合においてのみ、事実上は、この種の命令が出されている。不当労働行為の是正に当る労委の権限は、単に過去にあつた事実の現在の時点での是正のみにとどまるべきでなく、その過去の事実から考えて近い将来に再発がかなりの確実性をもつて予見しうる限り、その予防的是正も行いうるものとしなければ、その与えられた任務の大半はつくしえないことになろう。さらに、罰則の適用については、労委が前述のようにその具体的な理由に基いて主文の履行を命じている以上、その履行不履行の問題は、なおかつその理由と併せて論じられるべきであり、しかも通常の場合には、労委が改めてその事実を調査してから不履行と認定して、制裁の申し立てを行うことにもなろうとすれば、実際上は単純な刑罰法規の設定とは甚しく異つてくるのであつて、裁判所が心配するような不都合は生じないと思われる。要するに、労委は立法機関ではないから、制裁規定を伴う立法をすることはできないし、その意味で、真の意味での将来に対する抽象的不作為命令は出せない。しかし、命令中の理由と併せてある程度の具体性を与えることができ、しかもその必要がある場合には、いわゆる将来に対する抽象的不作為命令も違法ではないと思われる。そして、果せるかな、最近における栃木化成事件では、この種の命令の違法性の問題は、もはやその立法的性格の一般論から離れて、その必要の問題に移ってきた。

栃木化成事件の命令（栃木化成事件、栃木地労委昭三二・二・一四）の主文は、「一、被申立人の従業員の賃金支払について申立人組合員と臨時工たる非組合員との間に自今遅速の差別を付けてはならない。二、被申立人は団体交渉に当つて申立人が交渉権を委任した県労会議及び地区労会議から派遣された者との交渉を忌避してはならない。三、被申立人は従業員の労働条件その他に関する労働協約について申立人が申入れた団体交渉に応じなければならない（その他は略す）」とするものであつた。すぐ判るように、これらでは、すべてそのなかに将来にわたる命令で、しかも差別扱いとか団交拒否とかの一見しては抽象的な字句が使用されている。しかし命令の理由では、いずれも具体的な事実の分析の上で「右差別的意識ないし意図が継続的関連的に存したもの」とみたり、団交については当面のところ賃金問題、労働協約問題、職場再編成問題について申し入れられ、前二者については、上部団体との交渉を、最後のものでは、その問題の性質上、経営事項であり会社の決すべきことだとして団交を拒否していたなどの事実の上で、差別扱いや団交の拒否が将来にわたつて停止さるべきことを命じたものであつた。ところが、ここでとりわけ問題になつたのは、しかし、もはや日本食糧事件のように、その抽象性にからまる立法行為説ではなく、主として、主文「一」に関するところの、いわば、その必要の問題であつた。すなわち、本件では、会社は、申立後しばらくしてから臨時工と本工との賃金の差別扱いを撤廃しており、命令時にはもはや行つてはいなかつた。そこで、かかる場合にも将来にわたる不作為命令が出しうるかが問題となつたのである。

【13】「かくの如く救済申立の原因となつた不当労働行為が消滅した場合においても、救済命令をなし得るか否かが問題となるところ、救済命令においては、すでになされた不当労働行為排除のための原状回復を命ずることの外、その必要と利益とがあれば予想せられる将来の不当労働行為排除のための不作為命令をなすことも許されると解せられ、この点から考えると不当労働行為が消滅した場合においてもその必要がある場合は救済命令をなし得るとも考えられなくはないが、救済申立は不当労働行為がなされて始めてなし得るのであつて、その危険の存在では足りないのであり、本来救済命令は積極的に労働者の団結権の保障をはかるものではなく、不当労働行為により歪められた状態のある場合に原状に回復せしめることにより労使対等の状態に復せしめて消極的に労働者の団結権を保障することを目的とし、前述の如き不作為命令は、原状回復命令のみでは結局その実効を挙げ得ないような場合に例外的になされることを許されるに過ぎないものであるから、既に不当労働行為が消滅している以上も早や救済申立はその理由がなく、救済命令を発する余地はないものと云わなければならない」（栃木化成事件、宇都宮地判昭三三・二・二五労民集九・一）。

この判決に対して、本件の控訴審判決では、一応賃金支払いの遅速問題は、会社の処置により解消したが、さればといつて、これをもつてただちに、命令が違法であると速断することは許されないとして、第一審判決を覆した。

【14】「おもうに救済命令は、原則としては、すでになされた不当労働行為を対象とし、これを排除するため原状回復を命ずるのを建前とするが、済救命令が許されるのは、単に右の場合に限ると解すべきゆわれはない。すなわち、たとえ、一旦不当労働行為が終了した場合であつても、再びそれが繰返されるおそれが多分に存在し、予めこれを抑止するため救済命令を発する必要が存するときは、将来の不当労働行為を禁止するため、本件命令書記載の如き不作為命令を発することも、法律上許されると解するのが相当である。尤も、かかる不作為命令は、予めこれを命ずる必要のあるときに限り許されるのであつて、その必要が認められない場合は、右命令を違法とすべきこともちろんである。」そして、行政処分の取消を求める訴において、その処分の適否の判断は、命令当時の事実を基礎に判断されるべきであるが、本件の場合、不当労働行為の審査がはじまつてから、会社が「余儀なく前記差別的取扱を解消したものであり、本件救済命令のなされた（中略）当時においては、もし右救済命令がなかつたとすれば、将来も再び右差別的取扱を繰返す危険が多分に存在し、したがつて控訴委員会としては、当時右命令を発する必要がまさに存在していたものと認めるのが相当である。」

なお、前記主文「二」及び「三」についても、本判決では、「本件救済命令の当時、本件命令書主文第二項第三項の如き命令を発する必要があつたことも肯認できるから、右救済命令は未だこれを違法とするには足りない。（なお本件命令書第三項はその表現が適切を欠く憾みはあるけれども、右命令書中に記載された当事者双方の主張と控訴委員会の事実認定及び判断を参酌してこれを読めば、結局右第三項は、被控訴会社に対し、職場再編成等従業員の労働条件その他に関する「労働協約」につき、補助参加組合から申し入れた団体交渉に応じなければならないことを命じた趣旨であると解すべきことは容易である。）」（栃木化成事件、東京高判昭三四・一二・二三労民集一〇・六）。

将来に対する抽象的不作為命令に対する判例の今日の立場は、この東京高裁判決で、結論的に、最も明瞭な形で表現されているものとみることができる。

三　不当労働行為制度における救済の目的からする限界

不当労働行為からの救済は、いうまでもなく、行政処分によつて、使用者が行つた労働組合主義の労働慣行に対する不公正な違反に対して、使用者をしてそれから生じた結果を事実上排除して、それがなかつたならばあつたであろう状態、すなわち原状を回復するために必要な事実上の措置を講ぜしめるとともに、なお同種の行為が近い将来にもくり返して行われることが予見されるときには、その予防のために必要な事実上の措置をもとらせて、労働組合主義の労働慣行（＝自由平等な団交の原則、そのための自由かつ自主的な団結と争議の自由の原則）を正常な状態におくことを目的とする。そこで、この目的からして、一般的にいうと、第一に、救済は、行政処分として行われ、司法処分として行われるのではないから、原状回復は、その行為の効力とは無関係に、事実上の措置として命じられることを要する。そのために、第二には、救済すべき事実が発生・存在していること、またはそのおそれが現実にあることを要するし、第三には、その救済が必要であり、かつ可能でなければなるまい。第四には、それは使用者にとつて履行可能なものでなければならないし、第五には、その救済の範囲は、前述の原状回復などに必要な点をもつてその限界とすべきであつて、それ以上に出ることをえない。他の部分で触れるものを除いて、これらの点で一般的に問題となる点は、次のようである。

（一）　事実としての救済

労働委員会は司法機関ではないから、不当労働行為から救済するといつても、その行為の法律上の効力をうんぬんして、有効、無効あるいは取消を命じるべき立場にはない。かつて、命令の中には、「懲戒処分を取り消すことを命ずる」（揖斐川電工事件、岐阜地労委昭二五・六・一二）としたり、「転勤通知はこれを取消す」（帝国酸素事件、中労委昭二八・六・二四）とした例があるが、このような司法処分のごときことを行政処分でなしうるものではないから、いわば、これらの命令は、通俗的な意味での事実上の取り消し、すなわち、行為の停止を命じたものと理解されるべきであつて、その行為の法的効力に言及したものではない。命令には、もともと私法的効力はなく、事実として救済するほかはないのである（日通柏崎事件、新潟地柏崎支判昭二六・八・七労民集二・四）。例えば、多くの解雇等の不利益取扱に関する命令が、原職復帰と賃金遡及払とを救済の具体的方法として命じているのは、この理に出る。

（二）　救済に価する事実の発生と存在　救済命令は、事実としての救済をしようとするものであるから、そのような救済に価する事実が発生していることを要する。従つて、

【15】「申立人は、本申立において、被申立人が最近ひそかに人員整理を計画しており、申立人の入手した確証によれば、その計画において被申立人は、労働組合の活動分子の追放を策しているが、かかる計画は労働組合を根底から破壊しようとする被申立人の陰謀であつて、かかる事実は不当労働行為を構成すると主張し、当委員会に対してこの計画を全面的に撤回し、この計画に基く一切の行動を直ちに中止するよう申立てるというのであるが、申立人の摘示するかくの如き事実は、その実質において未だもつて不当労働行為を構成するものとはなし得ないこと明らかである」（電産関東地本事件、中委労昭二五・六・一七）。

しかし、こういうことは、必ずしも使用者が期待したような結果が発生しなければならないという

意味ではない。例えば、組合役員の改選に当つてその候補者に対しその辞退を求めた部長の言動などは、「多少にかかわらずその職制上の地位及び背景等の威圧が加えられることは否定できず、又そのことが当該組合員の意思決定に有力に作用する要素となるものであることを認めざるをえない」から、「会社の行為がその期待したような結果を生じなかつたにしても、その行為自体すでに労組法七条三号違反を成立せしめる」（日新電化事件、山形地労委昭三三・八・一五）とされ、会社主催の講習会へ組合の反対を押し切つて組合員を出席せしめたにつき、「講習会参加者に反組合的言動をなした者がいないこと」は事実だが、「支配介入は、その目的とする効果をあげることを要しない」のであつて、この講習会が支配介入に当る以上不当労働行為は成立するともされる（三井美唄事件、北海道地労委昭二八・五・一三）。

だが、すでに発生していた不当労働行為たる事実が、命令時には消滅している場合にも、救済しうるかについては、問題がある。その事実の消滅が終局的であるために再発するおそれが全くない場合には、それはもはや救済の必要なしとせざるをえないであろう。例えば、業態変化のため、復職が事実上不可能な場合には、これを認めるに由ないであろうし（産経徳島事件、徳島地労委昭三〇・五・一九）、また、臨時工である某を副班長に任命したことが本工組合に対する支配介入的行為であるとしても、その後右制度が廃止され、その任命は解消している場合にも、救済命令を出したに対して、次の判例がある。

【16】「すでに本救済命令を待つまでもなく右不当労働行為は排除されているのであるから、右救済命令は失当である」（栃木化成事件、宇都宮地判昭三三・二・二五労民集九・一）。

【17】「本件救済命令の発せられる以前、すでに副班長の制度を廃止していたことが認められる。しから

ば、右副班長の任命についての原状回復の措置を命じた前記救済命令は、当初からその容体を欠き、事実上無意味ないし不可能なことを命じたものという外なく、したがつて右命令はこれを違法といわざるをえない。控訴委員会は、たとえ右の如く稲垣が副班長の職を辞退し、被控訴会社が副班長の制度を廃止しても、既往の不当労働行為は消滅しないから、控訴委員会としては、これに対し原状回復を命ずる利益があると主張するけれども、原状回復を命ずる利益があるとしても、それに相当する命令（例えば、被控訴会社に対し、不当労働行為をした事実を承認する旨の文書の差入れを命ずる如き）を発するのは格別、本件の如く、内容自体が事実上無意味ないし不可能に属する事項を命ずることは許されないというべきである」（栃木化成事件、東京高判昭三四・一二・二三労民集一〇・六）。

労働委員会にも次のものがある。

【18】「初審命令第三項のごとき救済内容（註―誓約文の掲示）は、陳謝ないし謝罪というよりもむしろ過去になされた支配介入の事実を明らかにするにより、将来の組合の組織活動を保障しよう、とするものである。ところで、本件においては、谷田らについての不当労働行為の救済措置としては、主文第一項をもつて十分であるし、さらにまた昭和三十四年十二月十三日、第一組合および第二組合は合併して統一体たる釜谷鉱山労働組合を結成し、現在にいたつていることから、初審命令主文第三項のような形で救済を命ずる必要も実益もほとんどなくなつたというべきである。よつて初審第三項は取り消さるべきである」（釜谷鉱業事件、中労委昭三五・四・二七）。

しかし、現在では、その事実が消滅していても、同様の不当労働行為が将来なお繰り返されるおそれが多分にあり、その予防的排除が必要な場合には、なお救済命令を発しうるとしなければならぬのは当然であり、この点については、前記の将来に対する抽象的不作為命令の項で引用した諸判例を参照されたい。

（三）　救済の必要と可能性——救済の実効性　　救済が必要かつ可能なことを要するのは当然であるが、この点については、具体的には、前に将来にわたる抽象的不作為命令でも触れたし、なお文書掲示、偽装解散あるいは、御用組合の処置などでもとくに問題となることであるので、それぞれの個所で論じることとする。ここでは、それに関連して、救済の実効性の問題にだけ触れておく。実効性のない救済がほとんど無意味であるのは当然であるが、判例上でとくに問題となっているのは、駐留軍労務者の救済の場合である。原職復帰を命じた大阪地労委の命令、それを維持した中労委の命令（駐留軍大阪事件、大阪地労委昭二九・一・三〇、中労委昭二九・九・一五）に対する行政訴訟において、判例は次のようにいう。

【19】「原告は、駐留軍のなした不当労働行為につき国がその責任を負うべきものと解しても、駐留軍の施設管理権のため被解雇者の復職は殆ど不可能に近く、救済命令を受けた国（又はその機関）もその実効性を保障することができないのであって、かかる現状からすれば、右の見解（注—解雇が不当労働行為だから復職せしめよとする判断）は実情に適せず失当であると主張するのであるが、国として復職せしめるに困難があるとはいえ法律上不能とは認め難いのであるからこの一事をもって右見解を失当と認むべきゆわれはないし、また、裁判所は駐留軍においても行政協定第十六条、第十二条第五項に基いて日本国の裁判所によって維持された労働委員会の救済命令を尊重し、復職に困難なからしめることを期待するものである」（同事件、東京地判昭三一・一〇・一七労民集七・五）。

【20】「国として被解雇者たる駐留軍労務者をその原職に復帰せしめることは、一般の場合と事情を異にし、困難を伴うべきことは容易に覗えるところではあるけれども、法律上不能とは断定できないし、救済命令を受けた国としてその実効性の保障が全く不能と認めることもできない」（同事件、東京高判昭三三・一・三〇、労委速報四一五号、東京調達支部事件、東京地判昭三三・二・七労民集九・一）（労委も同様である。例えば、駐留軍兵庫事件、兵庫地労委昭二八・一二・八、キャンプ淵の辺事件、中労委昭二九・五・一二、駐留軍成増事件、東京地労委昭二九・五・二〇、同事件、中労委昭二九・一二・一七、東京調達支部事件、東京地労委昭二九・一二・二四、同事件、中労委昭三〇・一一・三〇など）。

(四)　名宛人の問題　救済命令は、使用者に対して、不当労働行為を除き原状回復するための作為または不作為を命ずるものである。従つて、救済命令は、その名宛人にとつて履行の可能なものでなければならない。例えば「掃共同盟の組合に対する圧迫を排除すること」(井関農機事件、愛媛地労委昭二四・一〇・二八)、組合事務員の組合への退職届が会社の組合圧迫の結果であるとして、「組合に対する同人の退職強制の介入排除の命令及び賃金相当額の金額給付の命令」(弁城炭鉱事件、福岡地労委昭二七・三・一五)、「組合結成当時の労務者の自由意思に還り、自由労働組合の指導権を認めること」(日本セルローズ事件、山口地労委昭二四・一〇・二五)のような措置を使用者に命ずることができないのは、当然である。だが、この点に関連して、クリティカルな点で問題を提供するのは、いわゆる偽装解散と御用組合に対する処置の問題である。

(1)　偽装解散　ここで**偽装解散**というのは、使用者が、組合圧迫の意図をもつて、仮装的に企業の全部または一部を廃止したり、解散したり、あるいは合併、譲渡、賃貸借、経営委任などを行つて、その企業に働く労働者を解雇したり、不利益にとり扱うところの不当労働行為の一類型のいいである。この場合、解散が偽装であつたにしても、そのまま企業が全く永続的に消滅したものもあるが、それが偽装解散といわれるように、多くの場合には、形式上は第三者の名義による代替企業ないし営業部門が生まれている。こうしたときに、だれに対して、いかなる方法による救済が命じうるかが問題となる。

この場合、企業の解散などを無効とし、その再開を命じうるかについては、労委の命令を離れて、例えば、商法四〇四条二号の問題としてみると、裁判所の判例の見解は二つに分れる。

もともと、偽装解散が裁判所で問題になつた主な事件は、旧法時代の正田製作所事件（東京地判昭二三・六・二九刑集五・五・二五八）、同和火災海上事件（大阪地判昭二四・五・一七労働関係民事裁判集四）、広島オリオン座事件（広島地判昭二四・四・二労働裁判資料四）、新法になつてからのキネマ旬報事件（東京地判昭二五・七・六労民集一・四）、尾三鉄工所事件（名古屋地判昭二六・一〇・一一労民集二・四）、福岡国際観光ホテル事件（福岡地判昭二七・五・二六労民集三・二）、王子百貨店事件（東京地判昭二九・七・一二労民集五・三、東京高判昭二九・一一・二九労民集五・六）、両備バス事件（岡山地判昭三〇・一・三一労民集五・六、広島高判昭三〇・六・二〇労民集六・三）、加賀屋商店事件（徳島地判昭三一・五・二一労民集七・三）、太田鉄工所事件（大阪地判昭三一・一二・一労民集七・六、大阪高判昭三一・一二・二七労民集七・六）などであるが、このうち、原告が会社解散の無効確認を求めたと認められるのは、キネマ旬報事件と福岡国際観光ホテル事件であつて、他は、解雇の取消を求めたものであつた。そして解散の効力は、その主張を支持するための一つの理由とされているにすぎない。例えば、王子百貨店事件では、

【21】　「以上の経過によつてみるに、被申請人会社が申請人ら従業員を解雇したのは、百貨店の経営が不可能となり、百貨店営業を廃止しなければならなくなつたがためであつて、申請人ら従業員の組合活動の故になされたものでないことが明らかであるから、その解雇を目して不当労働行為であるとして、これを無効とすることのできないのはいうまでもない。もつとも形は営業廃止によつて解雇したのであつても、その実正当な組合活動をした者を排除して、新たな従業員をもつて営業を再開するために、営業閉鎖を仮装して解散したような場合には、その解雇は真に営業廃止のためではなく、実は正当な組合活動をした者を排除するためになされたものであるから解雇は無効であると解されねばなるまい。ところが本件では、そのような意図の下に百貨店営業が廃止されたものと認められない」（王子百貨店事件、東京地判昭二九・七・一二労民集五・三）。

ところが、キネマ旬報事件では、原告が、解散は協約の同意約款違反であるから無効と主張した。判決はいう、

【22】「解散は承認をえなかつたというだけでは無効とな」らず「せいぜい債務不履行の効果を生ずるにとどまる。」会社の「意図する解散が公序良俗に反して無効であるとは認められない本件においては、右解散を前提とする本件解雇はやむをえないというほかない」(キネマ旬報事件、東京地判昭二五・七・六労民集一・四)。

この判決ではじめて、不当労働行為たる解散が公序良俗に反し、無効たりうることを認めるかのように読める表現がとられたのであるが、むろん、ここで、何が公序良俗違反となるかは、本件では何ら具体的に示されることはなかつた。しかし、この考え方は、太田鉄工所事件で徹底的に進められ、明確な姿をとる。

【23】「企業は資本と労働力を包摂し、労働力を離れては存立し得ないものであるから、企業の廃止は資本の解体のみならず、その労働力の処分を必然的に伴うのであるが、かかる労働力の担い手としての労働者にとつては、その企業が自己並に家族の社会生活を可能ならしめる母胎であり、その労働者としての地位向上のためには、労働組合を組織し団結の力によつて使用者と対等の立場で交渉し団体行動に訴えるところのいわゆる団結権が憲法、労組法において保障せられている。労働者の自覚の下に組織された労働組合の健全な発展を保護することは、現在の社会的経済的秩序の要請といわなければならない。従つて、企業主体の有する企業廃止の自由(憲法第二十二条の職業選択の自由、商法第四百四条第二号)と雖も、今日においては絶対無制約のものではなく、かかる社会的秩序の要請する制約に服さなければならない。企業廃止の自由は濫用されてはならないのである(憲法第十二条、民法第一条第三項)。殊に企業別組合の形態のもとにおいては会社の解散は従業員の解雇並に組合の解体消滅を伴うから企業能力を有する会社が、労働組合の合法的組織活動を弾圧し全組合員を解雇することによつてこれを壊滅させることを決定的原因として企業を廃止することは、すでに企業廃止の自由の濫用として許されないところであり、現在の社会秩序に著しく背反するものといわなければならな

い。このようなわけで、本件解散決議は憲法第二十八条、労組法第七条第一号第三号に違反し、従って企業廃止の自由の濫用であると同時に公序良俗に違反するものとして無効であるといわなければならない」（太田鉄工所事件、大阪地判昭三一・一二・一労民集七・六）。

要するに、不当労働行為たる解散は、企業廃止の自由の濫用（民一条三項）、公序良俗違反（民九〇条）として無効というのであるが、本件の実体は、解散の結果「企業は閉鎖状態にあ」るけれども、まだ企業は消滅しておらず再開の機運があつたらしいのであつて、このことは、解散無効→解雇無効による地位保全と賃金の請求について、「会社が企業能力を有するとはいつても小企業のことであるから、現在のような企業閉鎖の状態を続ける限り、いつまでも賃金債権の負担に耐えないこと、組合が会社を潰すような事態も極力避けるべきであること等を斟酌して、当裁判所としては、労使間の将来の団交による企業再開を期待する趣旨の下に」地位保全ならびに賃金等の支払を命じる、といつていることからも察しられる。だから、解散無効論をふりかざしながら、実は、解雇の無効をいおりとしているのであると思われる。しかし、ともかく、このような理論がここでは打ち出されているのは事実であるが、これに対して、福岡国際観光ホテル事件にあつては、全くこれに反する立場をとる。

【24】「株式会社を解散するか否かということ、従ってその企業を廃止するか否かということは、株主の自由に委かされているところであつて、労働組合のために企業を存続させねばならぬという法律上の義務はないのであるから、株主が真に株式会社を解散せしめる意思の下にその旨の決議をなすならば、これによって会社解散の効力を生じ、たとえそれが組合結成の阻害のためであつたにせよ、このことの故に、これらの解散を無効とすべき理由はない。」そして、不当行為たる解雇の問題は、解散の効力とは別に考えることができる。つ

まり「たとえ解散決議がなされても、企業そのものは廃止せられず新なる経営者に同一性を失うことなく承継せられる場合には、清算のために全従業員を整理する何等の必要がない。」「従つて、このような場合には、清算会社が組合の結成を妨害しこれに熱心であつた者を排除する底意の下に、従業員を解雇することは、解散が有効であるにかかわらず、やはり不当労働行為を構成し、無効と解するのが相当である」という（福岡国際観光ホテル事件、福岡地判昭二七・五・二六労民集三・二）。

なお、これらの事件においては、株主総会決議無効の主張は、商法二五二条に関連して、訴をもつてするを要するか否かが争われ、太田鉄工所事件の判決では、訴による必要なし、ただ訴によつたときにのみ判決に対世的効力ありとされ、福岡国際観光ホテル事件の判決では、訴によつてのみ主張しうるとされたが、この点については、深入りしない。

商法の解釈論としては、福岡地裁の判決が正しいと思う。だが、右の論争がいずれに傾くにせよ、労働委員会の救済命令としては、前述のように、解散の無効や企業の再開を命じることはできないから、企業が、終局的に解散し、消滅した場合には、それが偽装だろうと何だろうとどうにもできないはずである（王子百貨店事件、東京地労委昭二九・七・八、川崎原料更生所事件、神奈川地労委昭二九・九・二二、中村造船事件、島根地労委昭三二・八・九、釜吉鋳造所事件、石川地労委昭三三・三・二六、大和交通事件、広島地労委昭三五・五・三一）。しかし、何らかの形でそれに代るもの、あるいは、清算中の会社などが存している場合には、それに基づく解雇を不当労働行為の問題としてとり扱つて事宜に適した方法でその救済を図ることになる。

偽装解散の仕方からみると、まずいつたん解散したけれども、組合員の全員解雇完了するやそのままで生き返つたという意味で最も偽装解散的なものは、石巻陸運事件（宮城地労委昭二六・一〇・一二）であり、形式上の名義は異るが実体的には同一とみられる代りのものが残つているものは、福岡国際観光ホテル事件（福岡地労委昭二七・六・三）、英通社事件（東京地労委昭三五・四・三〇）、日写通信社事件（東京地労委昭三五・一〇・六）、ただし、第一と第三では、これまでの事業は分散し名義上数人の事業となつていた。代物弁済として第三者に営業譲渡したものは、富士染工事件（京都地労委昭三二・四・二六）、経営委任を行つたものは夕刊ひろしま事件（広島地労委昭二五・五・三〇）、吸収合併されたものに京都日日新聞事件（京都地労委昭二五・三・三一）、有限会社を解散して解雇し、一方では株式会社を設立したものに、福岡徳事件（京都地労委昭三三・六・三）、休業閉鎖はしたが、まだ立ち直りうる状態にあるものに大同家具事件（広島地労委昭二八・一〇・二〇）と西村組事件（大阪地労委昭三二・三・四）、なお残務整理中であつたものに福井計器事件（福井地労委昭三一・一二・三〇）、都島友の会事件（大阪地労委昭三二・一〇・一〇）がある。これらはすべて、帰つてゆく職場があるのであるから、救済命令としては、解雇をやめ、原職あるいは同等の職に復帰させ賃金の遡及払を命じるのが通例である（京都日日新聞事件では原職復帰は認めなかつた）。ただこのなかには、ほとんど企業整備をも必要とするようなものなど、中小企業の弱さの露呈したものがあるので、それらについては、賃金遡及払につきいろいろの工夫がみられるし（例えば、大同家具事件、福井計器事件、石巻陸運事件、福岡徳事件など）、また業態においての特異な取り扱いもされている（組合員がどこに就職するかをその意思にかからしめた福岡国際観光ホテル事件）。ところで、このうちの若干のものでは、少なくとも形式上は、もとの使用者でないものに対して、新企業においてこの履行を命じなければならないことになりそうであるが、合併までの賃金支払のみを認め合併会社がその債務を承継するものとした京都日日新聞事件と、新会社の社長宛に命じた福岡徳事件とを除いて、他は、もとの使用者（および新経営者を含むものあり）宛に命じている。その論理は、富士染工事件では、営業譲渡が仮装、ないしは、もとの社長との意思連絡の下で行つたのであるから、解雇は、会社の行為であるとして、かれ宛てに命令され、夕刊ひろしま事件では、復職後一般社員なみに扱うべしとの命令に従つてもとの社長宛にこれを命じ、英通社事件では、もとの英語通信社とその代替物である英通社とは「実質上同一」であるとして、英語通信社の代表清算人たるもとの取締役宛に行つている。むろんこれらの論理の背後には、新旧両企業が同一性あることを前提としているのであつて、そのうち特にこれに触れるのは、次のものである。

【25】　「企業そのものの実体が変ることなく、企業がその同一性を失わないで、単に経営名義人ないしその主体の交替にとどまると認められる場合には、労働者は」「むしろ企業に対して労務に服していると考えられ」「労働関係は新経営者に承継されると解すべきである。」そして、(イ)新会社は、もとの実権者の下で従来事実上経営の衝に当つていたものに、その区分に従つて形式上分けられただけであること、(ロ)ホテルの名称に変りがないこと、(ハ)営業の場所も設備も一切同じであること、(ニ)実権は依然として事実上、もとの者が握つていること「などを綜合して考えれば、三つの事業場を有する会社が分割されて、それぞれ三つの事業場を独立し、その各々において、従前と全く同じ企業がそのまま続けられているものと認められ、労働関係も従前所属の職場区分に従い、それぞれ新経営者に承継されているものと解するを相当とする。従つて申立人組合は、新経営者との間に別に新たに雇用契約を締結するまでもなく、また被申立人らに採用申込をするまでもなく、その労働関係は、当然に会社より被申立人らへ包括的に承継されたものというべきである」として、当人らの希望する事業所への復職を、解雇したもとの使用者に命じた(福岡国際観光ホテル事件、福岡地労委昭二七・六・三)。

【26】　「被申立人は会社は有限会社の財産、利益、負債を承継しておらず、全く経営内容を異にする会社であり、会社と有限会社とはなんらの因果関係はないと抗弁するが、仔細に両会社を比較検討すると、

(1) 会社の創立総会と有限会社の解散の社員総会とが同日とせられていること。
(2) 両会社の経営責任者は社長が父子交替しただけで、ほとんど同一であること。
(3) 営業の場所、工場その他の設備ならびに染色加工の業務等がほとんど同一であること。
(4) 会社は有限会社と同じ称号の「福岡徳」をそのまま使用していること。
(5) 有限会社の非組合員であつた大杉ら主要職員はじめ技術要員らの従業員のほとんどが会社に引継がれていること。
(6) 有限会社当時の得意先、原材料仕入先等の約半数が引継がれていること。
(7) 実用新案権、意匠権等が引継がれていること。

などを綜合考案すれば、有限会社当時の企業の実態が会社に承継せられ、その営業状態は両会社を通じ同一であると判断せざるをえない。」かくして「救済に関する限り、有限会社と被解雇者の労働関係は会社に承継されているものと認めざるをえない」として新会社宛に復職を命じた（福岡徳事件、京都地労委昭三三・六・三）。

次に、企業の一部が閉鎖または廃止された場合については、井上繊維事件（奈良地労委昭二七・一〇・二三）、ユニオン・クラブ事件（東京地労委昭三〇・一二・二三）、寺内機針事件（徳島地労委昭三一・四・二五）、吉田木材事件（奈良地労委昭三二・八・九）などがある。救済命令としては、企業は存するのであるから、解雇した使用者に宛てて、原職又は同等の職への復帰と賃金遡及払を命じるのが通例である。ところが、企業の一部が分散して他に偽装的に移つた場合については、次の命令がある。

【27】「会社は、中立外の第三者である新会社へ就労をさせることの救済を求めることは法律上許されないと主張する。

しかしながら、別個の会社が新設されたというけれども、企業の実態は従前と変ることなく温存せられており、単に会社の個々の職場ごとに一つずつの独立の企業としての形式をかぶせたにすぎず、会社と新設三社とは実質上全く同一である。

すなわち、1　新設会社の従業員は従来の会社の非組合員及び組合脱退者だけであり、事業場は小島ビルの旧職場か、またはこれに隣接した場所であること。

2　使用の資料、機械、自動車等は従前と同一のものを用い、活動および渉外関係は日本写真新聞社名義で行なつていること。

3　新設三会社の経理は小島武夫が掌握し、各社従業員の出張、取材、印刷所と取引伝票、その他従前小島の承認を必要とした一切の伝票は引続き小島名義で決裁されていること。

4　また、毎週土曜日に定例の会議が小島出席のもとに、石原、原、萩野、木村の各社代表らが集まり開催され小島の方針や指示をうけていること。

5　昭和三五年九月初旬から小島ビルの社屋に「日本写真新聞」の大看板を掲げ営業していること。

6　また新設三会社は機能的にそれぞれ独立性をもたず相互依存の関係に立つて従来会社によつて出版されていた、写真新聞、教材ニュース、フォート・ニュース、プレス等すべての刊行物は終始、同一の発行所（中央区日本橋通三丁目一番地）および同一の発行人（小島武夫）名義で発行されて、従来と同様の販売機構（支社）を通じ販売されていること。

従つて会社の主張は採用しがたい。」このようにして会社は、「組合対策の一環として組合員を排除して再編成された企業に組合員外の従業員のみを雇用して事業を継続」しようとしているのであつて、「右五名の所属部局は、それぞれ分散して経営されている」として、「一、被申立人は、1　申立人組合員三宅正博を日写通信社において、従前と同一の労働条件のもとに編集の業務に就かせるとともに、昭和三五年五月一日から右就労に至るまでの同人が受けるはずであつた賃金相当額を支給すること。

2　同佐々木慶兆、同石井光雄を東京デザイン社（東京都中央区八重州三丁目三番地吉川ビル所在）において、従前と同一の労働条件のもとに編集の業務に就かせるとともに、昭和三五年五月一日から右就労に至るまでの同人らが受けるはずであった賃金相当額を支給すること。

3　同竹須毅三郎、同金子孝司を日写フォート・サービス・センター（東京都中央区日本橋通三丁目一番地小島ビル所在）において、従前と同一の労働条件のもとに写真撮影およびそれに伴う諸業務に就かせるとともに、昭和三五年五月一日から右就労に至るまでの同人らが受けるはずであった賃金相当額を支給すること。

4　右五名に対する支給額のなかから、同人らが受領した所定の退職金および予告手当一ヵ月は控除すること」を命じた（日写通信社事件、東京地労委昭三五・一〇・六）。

(2)　御用組合の処置　**御用組合**に対する労働組合主義的労働慣行の立場は明らかであり、その労働組合的活動は許されるべきではない。しかし、さればといって、これを救済命令をもって解散せしめることはできない。けだし、第一に、労委は行政処分をなしうるだけだからそれはできない相談であるだけでなく（前述）、第二に、救済命令の名宛人は使用者であって、かれに対して第三者が作った団体の解散を命じることはできないからである。そこで、救済命令としてとりうる方法の第一は、御用組合の bona fide 組合と同様の活動、すなわち団交・協約締結をすることの禁止、第二は、bona fide 組合の活動の妨害禁止、第三は、すでに御用組合と結んだ協約などの破棄処置、第四は、それらの旨の文書掲示などであろう（いわゆる「相対的解散命令」）。この点で注目すべき命令は、次のものであった。

【28】　「地区労は、一（注—「支配介入」）に対する救済方法として、会社に親和会、親交会の解散を命ずることを求めているが、これ等の会は会社の援助により成立したとはいえ、会社従業員の会としてその意思によ

り存在しているものであつて、会社のみの意思によりこれを解散させることはできないものと思料されるから、その解散を命ずることは妥当でなく、且つ右の会と締結している労働条件に関する協定を破棄せしめることによつて、十分救済の目的を達し得ると考えられる」として、「(1)文書掲示、(2)会社と親和会、親交会との間の労働条件に関する協定の破棄通告」を命じた（岩倉組事件、北海道地労委昭二七・一二・二四）。

また、初審命令（仙台鉄道事件、宮城地労委昭二八・四・三〇）が文書掲示と会社利益代表の組合からの脱退を命じたに対して、中労委は、これを変更して、次のように命じている。

【29】「一般に、従業員が会社の利益代表をも含むその全員をもつて親睦団体、共済団体等を組織する自由をもつことは、ぜい言するまでもない。ただ、かかる団体が自らを労働組合と主張しつつ、しかも会社の利益代表者を構成員とすることを通して、会社の支配介入に甘んじている場合において、当該団体に属するもの、あるいは関係団体等が、使用者のかかる支配介入を排除することによつて、本来の労働組合になろうとし、あるいはならしめようと考え、労働委員会に不当労働行為の申立をなし、その救済を求めた場合においては、あるいは初審命令主文第一項、第二項（注―前記のもの）のいう如く、会社の利益代表者を、当該団体から脱退せしめることが救済の目的を達するに適当な一方法であるかも知れない。しかし、初審が命じる右救済内容は、本件の場合においては、必ずしもかかる事態に即したものとはいい難いと考えられる」ということから「(1)会社は従業員協議会と、従業員の労働条件についてのとりきめを目的とする団体交渉を行つてはならない。」(2)文書の交付と掲示を命じた（仙台鉄道事件、中労委昭二八・一二・一二）。

これらの救済命令は、いわば、全く御用組合化した団体の場合の最も正統派的な形であつて、そのねらうところは、一たんすべてを平面に均して、組合オルグの新しい活動にまつということにある。

ところが、わが国の組合の性質上、御用組合と通常呼ばれているものでも、もとを洗えば、堕落したbona fide組合である場合、すなわち、まだbona fide組合化しうる芽が残つている場合が多い。そこで、このような救済はいずれかといえば、会社や従業員団体がさらに御用組合化するために思うつぼであることが少なくない。また、一方では、この事情との関連もあつて、憲法二八条との関係で、いやしくも組合の名を冠する以上団体交渉を禁止しえず、また協定破棄命令はゆきすぎだとする説がある。そこで、少数組合とのユニオン・ショップ協定を含む協約破棄を、多数組合が求めた事件に対して、次のような命令がある。

【30】「以上の判断によれば、本件労働協約中、ユニオン・ショップ約款の破棄を求める申立人の申立は理由がある。なお、申立人は、本件協約全文の破棄を求めるが、少数組合といえども使用者と団体交渉をなし、労働協約を締結する権利を有することはいうまでもないから、協約全文の破棄を求める主張は採用し難い」とし、「(1)労働協約中ユニオン・ショップ約款に関する規定を削除する措置を採ること、(2)それが削除されるまでは、それを理由とする不利益取扱をしないこと」を命じた（林銀紙器事件、大阪地労委昭二九・五・二一）。

この場合の処置は、協約の一部破棄といつても、岩倉組事件の場合と異つて、いわば、多数・少数両組合間の差別扱いの排除による両者の平準化、いいかえれば、そこでは、前提として、少なくともこの二つの組合は、いずれもbona fide組合であると考えられていて、この両者に組合としての組織と活動における機会の均等を与えるため、他方のプラスを排除しようというのがそのねらいである。そこでは、もはや、完全に自主性を失つた御用組合の排除措置の問題ではなくて、むしろ、競争する二つの bona fide 組合の対立において、その一方への援助ないしは誹謗による差別扱いの排除、すなわち、支配介入排除の問題がその中心に登場する。そして、恐らくは、わが国のいわゆる御用組合とされる第二組合であっても、その多くのものは、第一組合と称するものと同様に、そうした bona fide 組合の少なくともある種の骨格をもっているし、第一組合もまた堕落の要素をもっているであろうから、こうした処置が適切であるときが多いのであろう（むろん、bona fide 組合にあっては、団交の禁止はできない――函館バス事件、北海道地労委昭三〇・九・九、日通福島事件、福島地労委昭二八・八・三一、日通滝川事件、北海道地労委昭二九・六・二など）。そこで、A組合とのユニオン・ショップ約款と唯一交渉団体約款を理由にB組合との団交を拒否し、B組合員の不利益取扱をすることを禁止した元山運輸事件（山口地労委昭二九・六・二五）及び検数神戸事件（兵庫地労委昭二七・三・一八）の命令はもとより、第二組合について争われるほとんで全ての事件では、その救済の中心は、一方の組合（あるいは、実質上それと同一性質をもつ従業員団体）への支配介入の排除におかれる（むろん、それが実質的にも労働組合でなければ、差別扱いは問題とならない――丹栄産業事件、京都地労委昭三三・一二・一九）。その内容には、例えば「共栄会への経費援助停止」を命じ（近畿電気工事事件、滋賀地労委昭三一・三・三〇）、あるいは支配介入を一般的に禁止し（日本食糧事件、京都地労委昭二七・三・一三）、それに加えるに第二組合結成援助を禁止し（日本糧産化学事件、北海道地労委昭三二・六・二九）、不利益取扱あるいは支配介入などを禁止するとともに、文書掲示を命じ（油谷発条事件、兵庫地労委昭二七・八・一九、島原鉄道事件、長崎地労委昭二九・六・二二、塩田組事件、兵庫地労委昭三二・四・三〇、十和田観光事件、青森地労委昭三三・五・二六、土井鉄工所事件、宮城地労委昭三四・一〇・一九、佐藤金属事件、埼玉地労委昭三四・七・二三など）、あるいは、支配介入に関する文書掲示だけを命じ（勝光山事件、広島地労委昭二八・九・九、大栄交通事件、大阪地労委昭三二・四・三〇、共伸工業事件、東京地労委昭三三・四・二四、甲斐製作所事件、埼玉地労委昭三三・八・七、京都競馬場事件、京都地労委昭三三・四・一一、理研電具事件、京都地労委昭三三・五・九、水戸駅観光デパート事件、茨城地労委昭三四・一一・二六など）、文書の掲示と交付を命じ（下津井電鉄事件、岡山地労委昭二八・六・一七）、文書の交付だけを命じるものもある（富士鋼業事件、大阪地労委昭二七・二・一三）。

なお、組合の御用化に関連して、組合の役員選挙に対して干渉した事件があるが、その救済命令は少し変つているから挙げておく。初審命令（振興鉱業事件、福岡地労委昭二七・六・二〇）が単に「組合の役員選挙に影響を及ぼすような行為をして、組合の運営に支配介入してはならない」としたに対する中労委命令である。

【31】「この救済命令について考えると、要は組合の選挙に対する会社の前記介入の影響を除去するにあるから、介入を受けた本件選挙を不当として、組合が将来本件選挙の再選挙を行う場合、会社のこれに対する干渉又は干渉と認められる如き一切の行為を禁止することが、適切かつ具体的と考えられる」として、今回の役員選挙に関し「将来再選挙等を行う場合には、同組合役員再選挙等に影響を及ぼすような行為をして、同組合の運営に介入してはならない」と命じた（振興鉱業事件、中労委昭二七・一〇・二二）。

（五）　原状回復　不当労働行為からの救済の目的は、不公正に侵害せられた労働組合主義上の労働慣行の回復（原状回復）をその本質とする（「就職をあつせんするなら解雇を承認するという主張は、不当労働行為とは、趣旨を異にするものである」穂高通信工業事件、長野地労委昭三三・七・二四）。いいかえると、その目的は、自由対等な団交が可能な状態への回復あるいは地均しにあり、そのために、自由な団結と争議行為に加えられた使用者による不公正な圧迫の排除と、閉された団交への門戸の解放とをしようとするのであつて、その限度以上のプラスが救済によつて加えられることは許されるべきではない。

(1)　団体交渉との関係　以上の理によつて明らかなように、もともと団交でとるべきものは、団交でとるべきなのであつて、それまでも、救済命令によつて与えることはできない。救済命令は、たかだが、その組合をして、団交の自由対等性を回復させ、使用者がかたくなに閉じている団交の入口を開かせることができるだけであり、その点を限度とする。

【32】「㈢従業員に対し一方的に使用者の措置として解雇を行わざること、解雇については労働協約に基いて行うこと」及び「㈣今次組合員の解雇については、団体交渉により労使双方協議し結論を出すこと」の救済を求めたに対して、「求める救済㈢について　かかる救済の内容は組合が協約を通じて獲得し又は協約を基点として組合が団体行動で、もしくは裁判所において実現しうべき内容のものかも知れないが、労組法七条の事件でない。」また「求める救済㈣について　かかる内容は先ず組合に向つて要求し、組合が、この点について会社に団交を申し入れ会社がこれを拒否すれば不当労働行為の問題となり得ようが、かかる救済内容は当委員会の任務には属しない」（電産大阪事件、中労委昭二六・四・一八）。

【33】「申立人は、第二組合の解散及び会社と第一組合との間にユニオン・ショップ約款を含む労働協約を締結することを求めるが、労働組合が組合員の自由意思によつて組織されている限り、当該組合の解散又は存続はその組合員の自由意思によつて決定せられるべき問題であり、使用者の意思によつて決定せられるべきではない。従つて労働委員会が当該組合の解散を使用者に命ずるが如きはその権限に属しない。更にユニオン・ショップ約款を含む労働協約を締結することは、あくまで当事者間の自主的な問題であるから、労働委員会が使用者に対して特定の約款を含む労働協約の締結を命ずる権限を有しないこともまた、言を俟たない」（林銀紙器事件、大阪地労委昭二九・五・二一）。

【34】「申立人らは救済を求める内容として、一、原状回復並びに復職までの間受くべかりし賃金相当額の支給と、二、申立人らに与えた打撃をつぐなうために平均賃金の一ヵ月分を再起資金として支給（中略）することを主張するが、」解雇は不当労働行為として復職と賃金遡及払を命じる。しかし、「再起資金一ヵ月分の支給については、原状回復と復職に至る間の賃金相当額の支払以上に特別の資金支給の必要性は認められないので、之が救済申立は棄却せざるをえない」（丸利商会事件、愛知地労委昭三三・一二・二二）。

(2)　原職復帰と賃金遡及払　次に、正当な組合活動などを理由に解雇、配置転換のような不利益取扱がなされた場合（労組法七条一号、四号）における救済命令は、周知のように、原職または同等の職への復帰と不利益取扱の日から復職までの期間の賃金相当額の遡及払を命じるのが通例の形である。この場合にも、前述のプラスは命じえないとする原則からみて、その限度についていろいろの問題がある。

復職と賃金遡及払とを認めるという通常の形に対して、意識的にその一方だけを認め、他を認めなかつたものがある（制度施行の初期には、その誤解から、判決と同様に、解雇の取消のみを認めて足りると考えたものがあり、復職、遡及払の何れにも具体的には言及しないものあるいは一方を認めぬものがあつた。例えば、杵島炭鉱事件、佐賀地労委昭二五・四・二八、林兼造船事件、山口地労委昭二五・五・二八、近江絹糸事件、三重地労委昭二八・六・二五、富士産業事件、静岡地労委昭二五・九・八、五洋産業事件、岩手地労委昭二五・七・三〇、弘前新聞社事件、青森地労委昭二六・七・一四、今間製作所事件、山形地労委昭二四・一二・二九その他）。その一は、いうまでもないが、復職だけを認め、賃金遡及払を認めなかつたものであるが、他は、賃金遡及払だけを認め、復職を認めなかつたものである。後のものから考えてみることにする。

これに属するほとんど全ては、解雇後事業場が閉鎖されて、帰るべき職場を失つたものに関する（従来の職場はなくなつたが、本社企業はそのままなのでそれへの復職が命じられたものはある――日邦機器事件、神奈川地労委昭二八・一二・二二）のであるが（大月産業事件、山梨地労委昭二九・九・三〇、神戸常産事件、兵庫地労委昭二九・八・一〇、キャンプ東京事件、埼玉地労委昭三二・三・一五、中労委昭三三・一二・一七、唄ごえ喫茶こだま事件、東京地労委昭三四・八・六など）、もともと復職を与えないで賃金遡及払だけを命じうるかについては、問題がある。賃金についてだけ不利益取扱がなされたのであり、その原状回復が必要なときは別として、解雇が不当労働行為とされる場合には、その回復こそが、この制度の目的とする自由な団結の保障となるべきものであることは明らかであろう。賃金の遡及払は、それに附随して生じた不利益の回復にすぎない。これが、「賃金の遡及払を伴い、あるいは伴わずして復職」を命ぜよとしたタフト＝ハートレイ法一〇条(c)項の根本的な考え方である。とりわけ、団結が雇用の継続と密接不可分であるわが国の企業別組合の場合において、ここで問題になつているような事業所閉鎖と関連させてことを考えれば、その理由は、さらにはつきりするであろうと思われる。賃金遡及払の方は、後述のように必要かつ十分な範囲でいろいろの考案ができる。しかし、とりわけここで問題になつている事件を考えてみると、復職を抜きにしたそれだけを与えるのは、いわば、間接的な慰藉料の支給命令ないしは退職金の支給命令以外のものではない。そして、このような命令は、むしろ制度の趣旨に反する。これを命じた労委の気持を察して、わずかにその理のあるところを認めるとすれば、解雇をめぐる紛争の調整を不当労働行為からの救済という形で扱つた、いわば和解的命令というほかない。偽装解散ならそれとしてとり扱いえよう。しかし、そうであろうと、どうであろうと、もし企業が永続的に消滅してしまつていれば仕方がない。といつて、このときでも賃金遡及払だけ認めるのは、おかしい。というのは、この場合、とりわけ企業別組合の場合には、企業の消滅とともに、回復すべき団結の母体も消滅しているのだから、賃金の遡及払だけでは、失われた団結をかえすべくもないからである。企業がもし、残つているなら、当然復職をも命じるべきで、賃金遡及払だけを認めるのは、なおさらいけない。そこで、こうした世話をしてやりたい場合には、申立は、いさぎよく棄却して、あとは、解雇による退職金ないし慰藉料などの問題を争議調整の形で解決するのが、むしろ筋の通つた仕方だと思う。いずれにせよ、賃金そのものに不当労働行為があつたときは別として、復職を伴わない賃金遡及払だけを認めることは、救済の限界を逸脱しているし、その理に反すると思う。なお、緊急命令によつて命令の履行が強制される場合には、緊急命令そのものの性質から、事態の必要と緊急性に応じて別の結論が出るのは、やむをえない。

【35】「緊急命令の重点は、救済命令取消の訴訟繋属中における労働者の生活困窮を防止するという労働者の経済的利益の保全にあり、従つて主として使用者の不当労働行為に対する労働者保護の実効を確保することを目的とするものであるから、復職命令に対して緊急命令を発すべきか否かについては右の観点を考慮し具体的事情に即して考慮してこれを決しなければならない。今本件について考察してみるに、他に特別の事情がない限り、緊急命令を発しこれによつて使用者に対しその違反の場合において労組法三二条の過料の罰則をもつて臨むという心理的圧迫を加えてまでこれを強制することをしなくても、緊急命令の主として所期する労働者の経済的保護に欠くところがないばかりでなく、右のような判決確定までの仮処分である緊急命令による強制は必ずしも本件事態に適当であるとは認められない。もつとも教育労働が教育労働者の全人格的活動と直結した倫理的性格を有するものであるから普通の労働と異り教育労働に従事すること自体に多大の精神的関心をもつものであることは認めなければならないけれども、緊急命令制度の趣旨が前記の通りである以上、使用者に対し過料の罰則をもつて臨むという心理的強制を加えてまで復職を強制することなく、使用者の自発的意思に基く履行を待つ程度で満足すべきであるとしても教育労働者の就労の利益を無視するものとは云えないから、右のような教育労働の特殊性をもつて緊急命令を発しなければならない特別の事情と認めることはできない。そうすると前記救済命令中前記岡本等三名の復職を命じた部分については労組法二七条五項の緊急命令を発することは相当でないと認める」として、緊急命令としては、賃金相当額の遡及払だけを認め、復職は認めなかつた（近畿大学事件、大阪地判昭二〇・六・一一・一七労民集二・六）。

一方では、復職だけを認めて、賃金の遡及払を認めなかつたものがある。結果的にはこれと同様であるが、はじめから後者の請求のなかつたために前者だけが認められたものがあるが（帝酸事件、中労委昭二八・六・二四）。これは除く。それはそれとして、もともと復職だけを認めることは、制度の目的からみて、むろん可能である。そこで、この問題は、結局、賃金遡及払の算定とその命令において、それが必要であるかどうか、つまり、何らかの事情の存在のために差引支給が認められるかという後述の問題のひとつになる。これを全く認めなかつたものについて、ここで便宜上考えておきたい。第一のものは、その趣旨はさつぱり判らないが、多分中小企業の経営と労使関係に対する特別の考慮がはたらいたものであろうと思われ、事態やむをえなかつたのであろう。

【36】「申立人等の求める救済の中、賃金の遡及支払の点は、本件紛争の原因及び経過に徴すれば具体的には種々の問題が考えられ、しごく単純に給付を断ずることが出来」ないという理由で、復職だけが認められた（福井計器事件、福井地労委昭三一・一一・三〇）。

他の二つには、問題がある。

【37】原職または同等の職に復帰させることは認めるが、「ただ、しかし、右解雇にいたつたについては、池田の勤務振りのよくなかつたこと等の落度もまた、その重要な原因となつているものと認められるから、解雇されてから職場に復帰するまでの期間に対する賃金の遡及的支払は、これを認めないことにする」（駐留軍板付事件、福岡地労委昭三三・〇・八・三一）。

【38】「申立人の請求する救済内容は前掲のとおりであるが（注―原職復帰と賃金遡及払、支配介入の排除および文書掲示）柿本、広畑両名の不正事実および当事者双方の今後の労使関係を考慮して、その救済方法としては、主文第一、二項掲記の方法が最も適当であり、その余の請求は棄却すべきものと思料」して、原職復帰と文書交付だけを認め、賃金遡及払は認められなかつた（平和タクシー事件、岡山地労委昭三四・一一・二八）。

不正の事実もしくは勤務上の落度が、少なくとも救済命令での賃金差引の理由となりうるかは、疑わしい。それがすでに差し引かれているとか、差し引かれるべきであつたのなら別であるが、解雇が不当労働行為であり復職させるかどうかが議論せられている場では、そういう事情は、むしろ、正当な組合活動の故に解雇されたとみるかどうかの問題になるものであつて、命令のいうような意味と形とで問題となるべき筋合いのものではない。そこで、中労委は、駐留軍板付事件について、この命令を否定する。

【39】「同人の勤務不良の事実は、不当労働行為の成否の要件すなわち、池田の正当なる組合活動と同人の勤務不良とについて、その何れが同人解雇の決定的原因をなしているかの判断の要件とはなりえても、与えるべき救済内容を加減しうべき性質のものではないのであるから、池田の解雇が不当労働行為と認められる以上他に特段の事情の認められない本件救済に当つては、申立人組合の請求する如く原職復帰とともに賃金遡及支払もこれを認めることを相当とする」(駐留軍板付事件、中労委昭三一・一二・一九)。

(3)　復職命令　**復職命令**そのものについても問題は多いが、すべて当該事件における救済の必要と可能とから、これが決定されていると思われる。ある意味で、自由裁量の限界を示すものでもあるので、いろいろの型のものを列挙する。

(イ)　「原職または同等(同格、原職相当)の職」への復帰という表現をとるものが多いが、「同等の労働条件で」といいかえたり、あるいは、これをも加えて命じているのも相当ある。もとの職場が消滅したり、様子が変つたりした場合におけるものであるが(八戸文化学院事件、青森地労委昭二九・一二・一三、寺内機針事件、徳島地労委昭三一・四・二五、勝光山事件、広島地労委昭二八・九・九など多数)、意味が幾分あいまいな「同等の職」のめざすところを知ることができる表現でもあるし、事実、配転後解雇された場合について、同様の意味を現わすために、「原職と同程度の職」というのもある（塚田製作所事件、中労委昭二八・五・二）。復職が本人の意思にかからしめられる場合もある（明治鉱業事件、北海道地労委昭二六・九・一〇、福岡国際観光ホテル事件、福岡地労委昭二七・六・五）。

（ロ）　復職後の不利益を防止することもまた自由な団結保障のために望まれる。そこで、例えば「復帰の際の同人の待遇について他の者と差別取扱いをしてはならない」（名古屋市役所事件、中労委昭二六・四・七）、「勤務年限の継続したものとして取り扱え」（朝日新聞事件、中労委昭二六・七・四、共和紡績事件、愛知地労委昭二五・六・二三、小口蚕糸事件、福島地労委昭三三・二・二五、山口自転車事件、埼玉地労委昭二九・一一・二九）、諸利害関係についても他のものと同様にせよ（夕刊ひろしま事件、広島地労委昭二五・五・三〇、北陸金網事件、新潟地労委昭二七・一〇・三）といったものがある。解雇後他の全員の解雇が行われた場合にもその例が多い。

（ハ）　復職の時期については、解雇その他不利益取扱の日に遡るのが通常だが、それを「本命令確定の日」としたものがある（京都日日新聞事件、京都地労委昭二五・四・二七、大西製紙事件、愛媛地労委昭二八・七・三一）。しかし、これは、もし行政訴訟になったら履行期日は、確定判決あるまでは到来しないので、緊急命令も申し立てえないことになるから困るであろう。

（ニ）　他に就職している場合にも復職を命じうるかは問題である。明らかではないが、そういう場合ではないかと思われるのは、復職を本人の意思表示にかからしめている福岡国際観光ホテル事件（福岡地労委昭二七・六・五）である。しかし、はつきりした命令は、まだない。

（ホ）　特殊な事件についての特殊な命令について若干の例を挙げておこう。不当労働行為になる解雇が行なわれてから、また新規採用をされ、その後改めて先任権の逆順によつて解雇せられたものに対しては、「以上の事実を考慮するとき、本件不当労働行為の救済としては、同人をして第一回の解雇の日に遡って原職に復帰せしめ、同日から右新規採用に至るまでの間その職にあつたものと」(駐留軍板付事件、中労委昭三一・一二・一九。似たものに、立川基地事件、東京地労委昭三四・八・一七、中労委昭三五・七・二〇がある)すべきだとするものがある。その他、解雇予告が差別的であつたに対して、その「解雇予告を取消し」、「全従業員の解雇と同一の取扱をしなければならない」としたり(宝満鉱業事件、島根地労委昭二四・一二・二九)、就業停止(検数神戸事件、兵庫地労委昭二七・三・一八)、出勤停止(井上鉄鋼事件、大阪地労委昭二七・九・二四、中山鋼業事件、神奈川地労委昭二七・九・一七)などの処分の取消、休職通知の撤回(大林組事件、愛知地労委昭二五・三・三一)、転勤の取消(帝酸事件、兵庫地労委昭二八・二・一〇)、退職勧告の撤回(丸善商会事件、長野地労委昭三四・一二・二三)を命じたものもある。また、試用期間中に解雇されたものに対しては、「期間満了の日をもつて本採用として取扱」えとしたものがある(大東京タクシー事件、東京地労委昭三四・一一・一二)。

(4)　賃金遡及払　次に**賃金遡及払**についての通常の形は、不利益を受けていた期間内の「賃金相当額」を支払えというのであるが、もちろん、それは、その間にうべかりし net earning を受けとらせようとする趣旨なのであつて、それ以上をえさせようとするものではない。こうして、遡及払せられるべき賃金相当額中に何が算入され、何が控除せられるのかが問題になる。むろん事件の性質によつていろいろの場合があるが、諸手当(香川運送事件、香川地労委昭二四・九・一〇、小倉製鋼所事件、福岡地労委昭二五・五・一九、油谷発条事件、兵庫地労委昭二七・八・一九、下津井電鉄事件、岡山地労委昭三〇・四・二二など多数。またその配分の是正の上、支給を命じたものに、島原鉄道事件、長崎地労委昭二九・五・一七がある。)、昇給分(帝酸事件、兵庫地労委昭二九・二・二三)、減給金(理研コランダム事件、東京地労委昭三三・七・三一)、勤務再評価差額(日新電化事件、山形地労委昭三三・八・一五)などは、加算されるべきものとされる。

控除されるものは、(イ) すでに、何らかの形で就労し、または、何かの形で支払われた賃金(日作開発事件、岩手地労委昭二八・三・四、新共和タクシー事件、大阪地労委昭三〇・三・九、弥栄自動車事件、京都地労委昭三三・一・二九、松田工業所事件、三重地労委昭三一・一二・二五、林兼造船事件、山口地労委昭二五・五・二八、沖製材所事件、愛媛地労委昭二六・五・二六、石井新聞店事件、埼玉地労委昭三三・一一・二〇、関西交響楽団事件、大阪地労委昭三四・一二・一九、北都ハイヤー事件、北海道地労委昭三四・八・二七など）、あるいは、うべかりし賃金、すなわち救済を求めるものが就労しようとしなかつた場合の賃金である（この点についての命令はない――柏木町役場事件、青森地判昭二六・二・八労民集二・一）。

（ロ）　これはまた逆にいうと、就労しようにも出勤停止、解雇通告など使用者の責に帰すべき事由で就労できなかつた場合には差し引くべきではないという結論を生む。すなわち、

【40】「会社はまた、懲戒解雇を申立人に通告したのは十二月十八日であつて、それまでは、同人が勝手に欠勤したのであるから十二月十七日までの賃金相当額を支払うべしと命じた初審命令は不当であると主張するが、十一月十日辞職の勧告をなし、同月十三日朝礼の際に会社は東労務課長をして右辞職勧告の処置を全従業員に発表せしめたのであり、次いで同月十七日の懲戒委員会に於て懲戒解雇を決定したのであるから、申立人はもはや出勤できない状況におかれたものとみるのが常識であり、ここまで追い込んだ責任は会社にありといわなければならない。従つて十一月十八日以降の賃金相当額の支払を命じた初審の判断にはもちろん何らの不当もない」（生野ゴム事件、中労委昭二七・四・二三）。

【41】「なお執行委員ら八名は六月二十五日争議解決の為当分の間欠勤する旨届出ているが、前記の如き会社の責に帰すべき解雇が行われ、出勤しようにもし得ない状況にあつたのであるから解雇後なお当分欠勤が継続したものとして取扱うのは当を得ない」（中山鋼業事件、中労委昭二七・一二・一七）。

【42】「三宅および柿沼は昭和三十四年七月から、福島は同年八月からそれぞれ他に就職している事実をあげ、当人達が他でえた賃金を控除すべきであると主張する。しかし使用者の責によつてその本来の職務の就労を拒否されている労働者の救済等を目的とする不当労働行為制度の趣旨に徴するとき」は、他からえた賃金は控除すべきでない（三福タクシー事件、中労委昭三五・二・一七）。

（ハ）　しかし、就労しえない場合ではあつても、ストライキ中ないしは、ロック・アウト中の賃金

は差し引かれるとすべきは当然である。

【43】「六月三十日には全工場のストライキが行われたのであり、その責を会社に帰しうるとしても、ストライキを行うか否かはなお組合員の自由であり、かつ又このストライキが賃金に関する主張を貫徹せんとする意味をも含んでいたと考えられるから、同日の賃金は遡及払する必要がない」(中山鋼業事件、中労委昭二七・一二・一七)。(なお、尼崎製鋼所事件、兵庫地労委昭三一・九・一一)。

これに対して、整理解雇の通告後反対ストにはいり、後本当に解雇されたものに対する賃金遡及払に、スト中の賃金を差し引かなかつたものがある(英語通信社事件、東京地労委昭三五・四・三〇)。解雇通告そのものの撤廃を要求してストにはいり、それが取り消されれば、直ちに就労するという体勢にあつたという特別事情でも考慮したかも知れないが、命令からは理由は示されていない。やや疑問で、やはり【43】の論理が正しいと思う。

(ニ) むろん、組合専従者の専従期間中の賃金は支払われるよしもなく(杵島炭鉱事件、佐賀地労委昭二五・四・二八、品川白煉瓦事件、岡山地労委昭二六・一一・一五)、ただ、組合が消滅し専従がなくなつた後は支払われるにすぎない(尼崎製鋼所事件、兵庫地労委昭三一・九・一一)。

(ホ) 被解雇者が他の職場で働いてえた賃金はどうか。この点については、注目すべき命令が二つある。もつともサーカスの小屋掛けや広告立てを手伝つて若干の収入があつた事件があつたが、本件では、そうした労働が在職中であつたから不当かどうか、つまり、他への就職とみるかどうかが争われたので、ここでいうような問題にはならず、また金額も少なかつた(中川煉瓦事件、滋賀地労委昭二六・四・二〇)。さて、この点についての第一のものは、新共和タクシー事件に対する大阪地労委の命令であつて、これは、その控除を認めた(大阪地労委昭三〇・三・九)。一方、副業程度の収入は差し引く必要なしとした東京地裁の判決(帝国石油事件、昭二四・一二・二七労働関係民行裁判資料一)が別にあるが、前に挙げた三福タクシー事件の中労委命令【42】は、はっきりとその差引を認めなかった。その理由は、就労を拒否されていたからというのであるが、それは、ここに利用するには全く筋違いの論理であること、【40】【41】の論理を比べてみれば判ることである。解雇されて生活を支えるために働いたとか、その期間が短かく本格的な収入とみるには当らないとかの考慮がはたらいたのであろうが、働くのはいいとしても賃金の二重どりが許されていいとはいえず、少額の場合を除き、救済が net earning を超ええない原則からすれば、やはり、遡及払される賃金から差し引くのが、むしろ「制度の趣旨に徴して」正しい方法であると思う。なお、中小企業における経営が苦しいなどの特別の事情から、賃金のあるパーセンテージの差し引き支給を認めたものが二つある(八戸文化学院事件、青森地労委 昭二九・一二・一三、大同家具事件、広島地労委昭二八・一〇・二〇)。

(へ)　退職金についても、賃金同様に、すでに支払われているものは差し引きされるべきであるのが当然であるが(名古屋市交通局事件、愛知地労委昭二五・五・二六、共和紡織事件、愛知地労委昭二五・六・二三、一畑電鉄事件、島根地労委昭二六・六・一四など多数)、京都日日新聞社事件の命令だけは、「受けとつた退職手当金と被申立人から支払われる賃金相当額との関係については、現実に清算する際に処理すべき民事的のものであつて、労組法七条二七条による処理の範囲外と考えるから、ここでは単にいわゆる救済を求める限度において判定し、その点には触れない」とし、差し引きを命令もしなければ、差し引くなとも命じていない。もつとも、この論理には何か誤解があるように思われる(京都地労委昭二五・三・三一)。その他、すでに支払われた予告手当、休業手当(中山鋼業事件、中労委昭二七・一二・一七、福岡徳事件、京都地労委昭三三・六・二〇)、礼金の如きも同様である（新海タクシー事件、長野地労委昭三五・六・六）。なお、以上の予告手当も含め、遡及して支払うべき賃金の計算方法は基準法の定める平均賃金によることを多くの命令は採用しているが、その他細かい計算をとくに指示するものもある（広野製作所事件、兵庫地労委昭二五・七・二二、新共和タクシー事件、大阪地労委昭三〇・三・九、東美流炭鉱事件、北海道地労委昭二九・一一・二六、産経徳島事件、徳島地労委昭三〇・五・一九、寺内機針事件、徳島地労委昭三一・四・二五、久保田印刷所事件、愛媛地労委昭三四・五・四、日本海倉庫事件、新潟地労委昭二七・八・一三、日本食糧事件、京都地労委昭二七・三・一七、関西駐留軍事件、京都地労委昭二七・一一・一一、毎日交通事件、愛知地労委昭三二・一・一四、防長交通事件、山口地労委昭三二・九・三〇、古山鉄工所事件、福島地労委昭三三・一〇・六、中山鋼業事件、神奈川地労委昭三三・二・一二など）。なお、当然ながら失業保険金については差し引く必要はない（判例も同様。帝国石油事件、東京地判昭二四・一二・二七労働関係民行裁判資料一）。

(5)　雇入命令　使用者に対し**雇入命令**を出しうるかについては、争いがある。一般には、雇入における不当労働行為でないかと思われるものについて雇入拒否とみないで雇用継続（再採用）の拒否とみ、解雇の不当労働行為の問題として取り扱っているようである（見習工から本工への場合につき、東京地判昭二七・一・二一、同昭二七・一二・一五。有期の雇用契約につき、新日飛事件、神奈川地労委昭二九・四・一二、中労委昭三〇・六・二九（ただし、中労委は、再雇用命令を出した）、臨時工の契約更新につき、中山鋼業事件、神奈川地労委昭三三・二・一二）。正面から、雇入の不当労働行為を論じて救済したのは、次の命令だけである。

【44】　「会社は『労組法七条一号は米国のワグナー法八条又はこれと同趣旨のタフト＝ハートレイ法の規定とは明らかに異る規定をしているのであつて、わが国法の下に於ては現に雇用関係の継続している労働者に対する使用者の差別待遇を禁止しているに止まり、新たに就職を希望する者の採否については黄犬契約の場合のみ不当労働行為の成立を認めているにすぎない』と主張する。しかし組合活動を理由に雇入を採否することは黄犬契約と性質上何ら異なるところがないのみならず、黄犬契約においては組合から脱退すれば雇入れられるから抑圧される組合活動は将来のものに限られるのに対し、組合活動を理由とする雇入の拒否は既往の組合活動を問題とする点において、その実害は黄犬契約よりもはるかに著しい。従つて法が黄犬契約を禁止している

以上、既往の組合活動を理由として雇入を拒否することは当然不当労働行為になるといわなければならない。なお米国法においても必ずしも明文上特に既往の組合活動を理由とする雇入の拒否についての規定はないのであつて、この点に関し争いがあつたが、後に最高裁判所の判決によつて不当労働行為の成立が認められたのであり、米国法との比較において不当労働行為の不成立を主張するのは当を得ない。ことに本件の如く従来の実状よりすれば、異例とみられる再雇用の拒否にあつては、むしろそれは実質的に組合活動を理由にする解雇と性質を同じくするものといいうる」(万座硫黄事件、中労委昭二七・一〇・一五)。

判例は、反対であるとみられる。

【45】「わが労組法は、アメリカのワグナー法やタフト・ハートレイ法のように、雇入に関する不当労働行為を認めているると解せられるような明文がないので、労組法七条一号前段の「不利益取扱」というなかには、雇入についての不利益取扱を含むかどうか疑問がないではない。右前段には「労働者を解雇し、その他これに対して不利益取扱をすることができない」と規定しているところをみると、前段は雇用関係ある労働者を前提として規定したようにも解せられないこともない。しかし「その他これに対して不利益な取扱をすること」の「これ」はその前段の労働者を受け、「その労働者」とは、前の「労働組合の正当な行為」その他同号前段所定の行為をした労働者を指すものと解すべく、従つて労働組合の正当な行為をした労働者に対しては、それが解雇であろうが不採用であろうが、いやしくも組合活動の故に不利益な取扱をすることを労組法は禁止しているものとも解される。問題はむしろ労働者の団結権の保護と経営者の雇入の自由との調和点をどこに求めて解釈するのが妥当かの点にある。もし組合活動の故に雇入を拒否することができるとすれば、もつともこの場合でも多くの場合は、解雇自体を争えばよく、不採用を争う必要もなかろうが、組合活動をした労働者は完全に企業から閉め出されることになる恐れが絶無とはいえない。しかし他方経営者は労働者を雇入れるに当つて、だれを雇入れるかは自由な選択に委されておるのであつて、この点は家の明渡しは正当な理由がなければできな

いとしても、だれにその家を貸すかは貸主の自由に委せられているのと似た点がある。またわが労働組合の実体が、アメリカのようにその産業における労働力の独占者として広く関係の個々の企業主と交渉をもついわゆる「クラフト・ユニオン」と異つており、従つてわが国の労働力の需給の実体は、アメリカと著しく異るところから、直ちにアメリカにおけると同一に解釈することもできない。それ故に甲会社でかつて正当な組合活動をしたことを理由にして、一般的に乙会社で雇入を拒否することができるといえるかどうかは、わが労組法の解釈としては議論の余地もあろう。しかしかつて自己の企業の労働者であつた者を再採用する場合には、これと同一に論ずることはできない。本来自ら雇つている者を正当な組合活動の故に解雇できないのであるならば、かつて自ら雇つていた者を正当な組合活動の故に再採用しないことも許されないと解するのが、不当労働行為の規定を設けた精神からいつて妥当であるばかりでなく、こう解したからといつて、経営者に過当な重荷を負わしたことにもならない。本来は組合活動の故に解雇のできなかつた労働者を解雇しないままの状態に返すだけであるからである。しかし、この場合でも、多くの場合は、解雇自体を争えば足り不採用を争う必要はないであろうが、それだからといつて、理論上不採用につき不当労働行為が成立することを否定することはできない。もつとも労働者を雇入れるに当つては、前に解雇した労働者のほかに、新たな希望者をも加えて、だれを雇入れるかは経営者の自由で、雇入について一定の基準を必要とする訳でないから、果してかつての正当な組合活動の故に雇入れなかつたものであるとの認定が事実上困難なことが多いであろう。しかしそれは事実認定の問題であり、正当な組合活動の故に雇入れなかつたならば、理論上不当労働行為の成立を妨げるものでないと解すべきである。」（万座硫黄事件、東京地判昭二八・一二・二八労民集四・六）。

中労委は、右の論旨から雇入命令を出しうると解するに対し、その取消訴訟での前記判決は、雇入の不当労働行為については、かなり懐疑的でむしろ否定的であるとも解せられる。しかし、この判決は、引用後段のように、ことを再採用の拒否の問題（解雇の不当労働行為の問題）としてとり扱い、しかも別の点（不当労働行為不成立）で中労委命令を取消した。一般に、雇入命令を労委がなしうるかについての問題は、まだ片がついていないと考える。

⑹　懲罰的命令　救済が本質的に、原状回復（労使の力関係における自由平等の回復）以上に及びえないことの当然の結果として、旧労組法一一条と異つて、それは懲罰的・報復的であることもできない（電産本部事件、中労委昭二七・四・一六）。ところが、恥の文化を基調とする日本人は、しばしば使用者に対するふんまんを謝罪とか陳謝とかの形でぶちまけようと欲する。その気持は分らぬでもないが、それは他の方法で満たされるべきで、ここでは、それは許されない。そこで、そのはけ口を後に述べる文書掲示の場合の陳謝的形式と内容とに求めようとし、また求めしめようとする命令もかなり多い。詳しくはそこで述べるが、非常に好ましくない現象であり、そのようなことがまま、不当労働行為制度の正しい理解を妨げることがあることからすると、警戒すべきであると思う。

四　命令の常素

一　命令の常素

不当労働行為からの救済の本質からみて、救済命令は、⑴不当労働行為の停止を命じる不作為命令（cease and desist order）、⑵不当労働行為を止めさせ、労使の自由平等を回復するために必要な、復職その他の積極的行為（affirmative action）を命じる作為命令、⑶その履行程度の報告（report）義務をその常素とする。タフト＝ハートレイ法一〇条⒞項が同様のことを定めているのは当然である。例えば、アメリカにおける一つの型を示すと、不利益取り扱いについての命令では、「使用者は、A組合の組合員を解雇、(配置転換、労働条件について不利益に取り扱うこと) によって discourage してはならない」という不作為命令、「使用者はBに原職または実質上それと同等の職に先任権その他の権利または特権を失うことなく復帰することを申し入れること、及び解雇の口から復職申し入れの日までの間に通常えたであろう賃金と同額の金銭を支払うことによって、Bが解雇によって被った賃金の損失を完全に補償すること、ただし、その金額は、その間にBが受けるべきであった net earning を与えれば足りる」、「文書(それは「使用者は、Bに対して原職復帰を申入れるであろう」という趣旨を含む)の掲示をすることという作為命令と、履行のNLRBへの「報告義務」とを含んでいる。前に引用した栃木化成事件に対する東京高裁判決(【14】)も、報告義務には触れないが、ことの性質上、不作為および作為命令の本質的なゆえんを認めているし、たとえ当事者が求める救済についての明らかな意思を示さない場合でも、それが全く不明あるいは不定の場合を除いて、当事者普通の意思を推測し、あるいは、理の当然から労働委員会の自由裁量権限によって、必要あれば、復職、賃金遡及払はもちろん、文書掲示を含む作為命令、あるいは不作為命令を出しうることが認められる(【1】ないし【4】および【14】)。しかし、わが国の救済命令には、いままで、この三常素を完全に具えたものは、ほとんどない。

二　不作為命令

三常素の中でわが国の命令で最も不当に軽視されているのは、**不作為命令**である。論理的にいっても、不当労働行為が行われたとすれば、まずそれを止め、その必要があり、かつできれば近い将来のそれも防止し、それからその原状回復に必要な積極的行為を含む作為命令を出すべきはずである。そこで、むろん事件の性質上、そういう論理の運びとして自然である、ある特定の団交拒否、支配介入排除事件の場合には、その団交を拒否してはならないとか、その支配介入をしてはならないというように、不作為が命じられる場合が多いが、いま問題にしているのは、そうしたものではなくて、一般に、不当労働行為を止めよという表明をすることは少ないということである。とりわけ不利益取扱の場合は、その事件の数のパーセンテージが多いことからすると、ほとんどないといっていいくらい少ない。すでに古く、三越事件に対する東京地労委の命令が、次のようにいったことがある。

【46】　「凡そ権利の保護にせよ、不当労働行為の救済にせよ、法令に特別の制限がない以上、それは必要にしてかつ充分なるものであることを要し、且それをもつて足るのであるから、本件において、前記認定の如く被申立人が将来も組合活動の故に組合員に対する不利益取扱をなすおそれある以上、当委員会としてはその救済として将来同様のことをしてはならない旨の不作為を命ずることを要すると共に、これを以て充分であると思料する」として、「申立人組合の組合活動に関し正当な理由なくして組合執行機関の構成員たる従業員を解雇する等の懲戒に処しその他不利益な取扱をしてはならない」と命令した（三越事件、東京地労委昭二七・二・七）。

これは、ほとんどまれな例であって、不利益取扱事件はもとより、団交拒否、支配介入事件でさえも、こうした例はそう多くはない。不作為命令の問題は、実際上は、前に述べた将来に対する抽象的不作為命令が許されるかの問題につながってくるので、かなり微妙である。しかし、具体性をもった不作為命令は、過去はもちろん将来にわたるものも、いわば救済命令に本質的なものであって、栃木化成事件の東京高裁判決が問題をもはや日食事件当時のような不作為命令の抽象性におかず、その必要性において論じたのは、この本質的であるゆえんを認め、その上での議論であった。不作為命令があまりにも利用されないゆえんは、恐らく、第一には、わが国の立法では、アメリカ法のように、各種の不当労働行為類型の他に、かつこれと重畳的に、不干渉の原則の原則的表明が明文として規定されていないからであり（タ＝ハ法八条(a)項一号）、第二は、抽象的不作為命令違法説へのあまりに過度の警戒心からであろう。しかし、不干渉の原則は、明文で労組法七条中に規定はされていなくても、労組法一条一項の論理的帰結として、当然わが法でも認められるところであるし、不作為命令の違法性の限界、すなわちその抽象性の問題は、すでに解決ずみなのである。司法処分と違って、過去から将来にわたつて長い目で労使関係における労使の自由平等の上に立つ労働組合主義の原則が維持されていくことを保障しようというのが労働委員会の仕事であり不当労働行為に対する救済命令の任務であるとすれば、不作為命令は、作為命令と同様に本質的に重要なものであるだけでなく、作為命令以上に、司法処分と違うその行政処分としての特徴を最も生かす手段でさえもある。たとえば、解雇を取消し、その結果として復職と賃金遡及払をさせることだけなら、司法処分ででもできることなのである。

　このことをわたくしは、何も救済命令の形式がどうのという意味でだけいうのではない。ことは形式上の問題であるようにみえるが、実はそうでなくて、救済をどう考えるか、ひいては不当労働行為制度そのものをどう考えるかの実質的かつ根本的な問題にからんでいる故に見逃しえないと思うからなのである。例えば、抽象的不作為命令の違法性をあまりに強く警戒するために、それを文書掲示という積極的行為の形で逃げようとする傾向が一部の命令にある。それがさらに発展してゆくと、あるいは、文書の相手方への交付ですませるというなまぬるい手段に転化させ、あるいは、逆に、それに処罰的性格を与えようとすることにもなる。これらは、まさに、文書掲示のもつ意味と不作為命令の意味及びそれとの関係との誤解からおこる。文書掲示は、不作為命令と団交、復職などの積極的行為の命令を前提とし、それの全組合員への周知による補強を目的とする。前二者を抜きにしたそれは、ほとんど無意味、無内容である。そこで内容的に曲げてしまつて、謝罪的意味をもたせるようなことにもなる。また命令の組合員への周知の意味を失わせ、単に文書の交付ですませることにもなる。団結権の保障を目的とする以上、組合と組合員との存在が前提であり、それへの行政機関の自分の手による周知は必須であるはずで、組合に文書を渡させれば、組合が発表するだろうというように、安易に考えるべきものではない。

三　作為命令

ここでとくに問題となるのは、**文書掲示**命令（いわゆる「**ポスト・ノーティス**」命令）である。すでに多くの判決は、その適法性と、それをするかどうかは労働委員会の自由裁量権限の範囲内にあることを認める（【2】【3】及び朝日ガラス事件、大阪地判昭三〇・二・二一労民集六・一）。そして、労働委員会もまた、初期においては、申立人の請求なしにこれを命じたことが少なくなかつた（菅野鋳造事件、大阪地労委昭二五・六・一三、山岡内燃機事件、滋賀地労委昭二五・七・一二、深日瓦事件、大阪地労委昭二六・一・八、油谷発条事件、兵庫地労委昭二七・八・一九、明関合名事件、愛媛地労委昭二六・八・二五、鎌長産業事件、香川地労委昭二七・一一・一四、弁城炭鉱事件、福岡地労委昭二七・三・一五、藤森組事件、長野地労委昭二九・一・九、村上東宝事件、新潟地労委昭三一・一・一九）。しかし、その後は、この方法があることが周知されたためであろうが、申立のはじめから、これが請求せられる場合が多くなり、これに反比例して、むしろ、請求されたにかかわらず、否定される場合が多くなつてきた。

（一）　文書掲示の様式　文書掲示の様式は、例えば（モデルという意味ではない）、ほぼ次のようなものである。

【47】「一、（略）（内容は原職復帰、賃金遡及払命令である）　二、被申立人は、速かに次のような声明書を縦七〇センチ、横一メートルの木板に筆太に墨書し、会社事務所前の見易いところに一週間掲示すること。

声　明　書

会社は、昭和三十三年七月五日付倉野元凱ら一〇名の解雇が不当労働行為であつたので、これを取消して復職させます。

今後は、組合に加入したり組合活動をすることによつて不利益を与えるようなことは一切いたしません。

昭和　年　月　日（掲示の日）

株式会社　川田鉄工所

取締役社長　川田宇太郎」

（川田鉄工所事件、広島地労委昭三四・五・二四）

【48】「会社は縦一〇三センチ、横一四五センチ大の紙に毛筆で左記内容の文言を記載し、これを苫小牧工場内主要掲示板に一週間掲示するとともに、同趣旨のことを文書をもつて組合に誓約すること。

記

会社は組合及び組合よりの委任を受けた者との団体交渉は今後一切拒否しない。

昭和　年　月　日

株式会社　岩　倉　組

岩倉組苫小牧労働組合
組合長　宮武　豊殿」
取締役社長　岩倉　春次
(岩倉組事件、北海道地労委昭二七・一二・二四)

【49】「一、(略)(内容は、原職復帰、賃金遡及払命令である)
二、被申立人は、今後、申立人組合員に対し、組合からの脱退をすすめて、申立人組合に支配介入してはならない。
三、被申立人は、左記文書を、本命令書交付の日から五日以内に縦五〇センチ、横一〇〇センチの木板に明記し、被申立人会社事務室内の従業員の見易い場所に掲示し、掲示の日から十日間存置すること。

記

新潟県地労委の命令により掲示します。
当会社は、組合員に対し組合からの脱退をすすめるような言動を行なつたことを認め、今後このような行為をいたしません。
昭和　年　月　日
株式会社　高野金属製作所
代表取締役　高野　一男
高野金属労働組合
組合員　各位
(高野金属事件、新潟地労委昭三四・五・二七)

掲示された文書の保守義務を課するものは少ないが、しばしば、必要であろうかと思われる（村上東宝事件、新潟地労委昭三一・一一・一九）。署名人で問題になつたこともある。支店長名を組合が望んだに対し、使用者の代表者名によるべし、あるいは、それと支店長連記によるべしとするのが命令である（日通滝川事件、北海道地労委昭二八・九・三〇、日通福島事件、福島地労委昭二八・八・三一）。

（二）　内容　問題は、この文書の内容である。文書掲示の目標は、前にも述べたように労働委員会による作為及び不作為命令の組合員への周知である。また、救済が懲罰的・報復的なものにわたりえないことはいうまでもない。従つて、その内容は、命令についての事実の組合員への報告と会社の処置との報告をもつて必要かつ充分とし、それを組合員へ周知すれば足りる。それ以上は、全く不必要というよりも、それ以上に踏み出すときは、むしろ制度の目的以上のことをしたことになるともいうことができる。ところが、ルース・ベネディクトのいう、罪ではなくて、恥の文化に立つわが国の労働者は、不当労働行為が行われた場合にも、しばしば、使用者をして、人前に手をついて謝まらせることに、特別の関心をもつとみえて、不当労働行為からの救済＝自由平等の回復の場合でさえも、おおっぴらな、対世間的謝罪を要求したがる。そして、そのはけ口が、極めてしばしば、文書掲示に求められる。そのことが、一方前述のような不作為命令違法説への過度の警戒と結びついて、その内容において謝罪的な性質がつけられ、その方法において一般世人への広告の可否などが論じられることになる。そのことが今度は逆に働くと、労働委員会をして、対世間的謝罪のゆきすぎへの警戒から、本来周知を目的とする文書の掲示を認めず、またはこれを避けて、文書の組合ないし申立人への交付におきかえるという組合員への周知の目的とは、反対の、全く曲つた方法を生み出させる。ことは、組合に文書を渡しておけば、組合が発表するだろうで足りるほど安易な問題でなく、場合によれば、労働委員会が行政代執行権限を行使して、みずから掲示しても辞しないほどの問題なのであるにもかかわらず。

さて、掲示文書の内容についていうと、「一切行わないことを誓約します」というものまで含めて、事実の報告、声明にとどめて、謝罪的な性格を与えていないものは、意外に少ない（仙台鉄道事件、中労委昭二八・一二・一二、宮野鋳造事件、大阪地労委昭二五・六・三、山岡内燃機事件、滋賀地労委昭二五・七・一二、以下、最近の理研電具事件、京都地労委昭三五・二・二六（これさえも「誓約」という表記をとっている）まで十数件にすぎない）。かなり多くのものが表記においてすでに、誓約書ならまだしも、陳謝状、陳謝文、詫び状などと書かせ、あるいは、そうでないとしても、その内容において、使用者に謝罪をさせている（初期の命令、例えば、仙台鉄道事件、宮城地労委昭二八・四・三〇などから、最近の新海タクシー事件、長野地労委昭三五・六・六までの四十数件がこれである）。例えば、仙台鉄道事件では、「陳謝状」と銘うつて、支配介入の事実を述べ、今後組合活動に介入しないといい、「右宮城地労委の命令により陳謝の意を表すると共に、これを誓約いたします」というのであり、岸野木工所事件では、「誓約書」と銘うつて、支配介入の事実を述べ、「明らかに労組法七条三号に該当する違法行為でありましたので、ここに埼玉地労委の命令により深く陳謝するとともに、今後はこのような行為をしないことを誓約します」（埼玉地労委昭三五・一・七）、新海タクシー事件では、「記」と表記されるが、内容では、いろいろの行為により「組合の組織運営に支配介入し、組合員を退職、または脱退せしめたことは、誠に申し訳なく、長野地労委の命によつて陳謝の意を表します」というのである。

(三)　新聞広告　しかし、新聞、ラジオなどによる謝罪広告については、労働委員会は、ひとつの例外を除いて、はじめから拒否的である。ただその理由にはいろいろあつて、

【50】「労働委員会の命令は、直接被害を受けている労働者又はその団体の救済を目的とするものであるから、一般公衆を対象とする新聞による公告を行わなくともその目的を達することができる」(仙台鉄道事件、宮城地労委昭二八・四・三〇)。

というように、一般的に、正当に、否定するものもあるが、当該事件の救済としては、不必要とするもの(油谷発条事件、兵庫地労委昭二七・八・一九、以下、石原木材事件、北海道地労委昭三二・一二・六、までの数件)、新聞広告と文書掲示(この場合は交付も含む)とは重複して命じる必要がなく、後者だけで足りるとするもの(都島友の会事件、大阪地労委昭三二・一〇・二、新大阪印刷事件、大阪地労委昭三五・三・二三など)もある。しかし、これらは、いずれも言葉使いはどうともあれ、一般的に認めえないとの理論の上に立つものとみられる。ところが、これを認めた命令がある。

【51】「被申立人は、本命令書交付の日から五日以内に高知新聞夕刊に二段抜き二・二センチメートル以上大で、左記内容の解雇取消広告をしなければならない。

記

解雇取消広告

八月三十日付本欄の集金人有藤利子殿に対する解雇広告は、全く当方の誤りでありましたのでこれを取消すとともに、御当人に対して著しく社会的信用と名誉を傷けたことを深くお詫び申上げます。(使用者名)」

という広告を命じたのであるが、その理由は、「特に新聞広告をもつて解雇の取消を命じたのは、申立人が今後職務を遂行するためにも、外交員というその職務の態様からして、ひとり申立人の名誉を回復するのみでなく当該講会のためにも、取消しが絶対の要件であると判断されたからである」というのである(高知双葉講事件、高知地労委昭三〇・一一・

二〇）。

そして、本件取消訴訟に対する判決は、使用者の行為は不当労働行為であるから、労委の「本件命令中第一、二項（これが、前記した新聞広告命令である）は適法であるというべきである」とする（高知地判昭三三・九・二七労民集九・六）。極めて特殊な事件であるが、やはり問題は残っていると思われる（なお、謝罪広告を命じる「判決」については、合憲との判決がある（最高裁昭三一・七・四大法廷判決）。しかし、救済命令は、一般的な謝罪広告請求事件と異って、制度の目的による限界があることに注意すべく、この考え方をそのままは救済命令に援用することはできないと思う）。

（四）　文書掲示承認の基準　　文書掲示の命令としての強い常素的性質は前に述べたが、それにもかかわらず、わが国の命令は最初のころと違い、近頃では、むしろ請求があるにもかかわらず、不必要、不適当として、拒否する場合が増してきた。その判断の基準は、本件の救済については、現実にその必要がないからというのが大多数である。それ自体問題はない（例えば、伊藤電業社事件、愛知地労委昭三二・一二・二三その他多数）。もっと細かい理由を挙げるのもある。例えば、団交拒否事件につき、団体交渉命令を出したが、「陳謝文」については、その請求は「これによって申立人の不当労働行為による精神的損害を慰藉し、併せて被申立人の自重自戒を求める手段と解せられるけれども、しかし主文第一項の命令（すなわち団交命令）によってその目的を達しうると認められるので」棄却するとするものもあれば（泰東製鋼事件、北海道地労委昭三三・一・一六その他不利益取扱の救済をもって足りるとする新大阪印刷事件、大阪地労委昭三五・三・二三を含め数件）、組合はもはや存在しないから不要とするもの（北海小型タクシー事件、北海道地労委昭三三・四・四その他）、初審命令がすでに履行されているので不要（スター無線測器事件、中労委昭三四・一二・一六）、知事あての文書掲示命令は不適当（立川基地事件、東京地労委昭三四・八・一七）とするものなどである。その云い分が判らぬでもないが、いずれにせよ、その裏には、結局文書掲示命令の常素的意味、その目的への誤解、とりわけ、その内容の謝罪的性格と、従って、それによつて面子をこわさないという日本的性格がまつわつていると思われる場合が多いのは、見逃せない。

この主に、面子問題にこだわるくせによつて生れたのが、文書掲示に代えて、その（この場合は、ほとんど常に「謝罪文」）交付を命じるという日本的新手である（富士鋼業事件、大阪地労委昭二七・二・一三、朝日ガラス事件、大阪地労委昭二七・三・八ごろにはじまり、三井美唄事件、北海道地労委昭二八・五・一三以下、水戸駅観光デパート事件、茨城地労委昭三四・一一・二六、平和タクシー事件、岡山地労委昭三四・一一・二八まで数十件を数える）。そのなかには、ごていねいにも文書の掲示とともにその交付を命じるものもあり（深日瓦事件、大阪地労委昭二六・一・八などから、新海タクシー事件、長野地労委昭三五・六・六まで約二十数件ある）、掲示に代えたかどうかは不明だが、文書交付だけを認めたものもある（富士鋼業事件、大阪地労委昭二七・二・一三から東邦亜鉛事件、長崎地労委昭三〇・一〇・一八まで約十件）。

四　報告義務

最後に、履行状況の報告義務を課する命令は、かなり古くから行われている。それは、例えば、

【52】「前項の履行については、速かに中央労働委員会に報告しなければならない」（塚田製作所事件、中労委昭二八・五・二）。

というようなものである。今日では、ほとんど全ての命令に慣用されている。

五　救済が請求せられていない救済

ここにこういうのは、救済の申し立てはあつたが、その事件として請求する救済内容が何であるかが明らかでない場合の問題ではない。こうした場合には、前に述べたように、それが全くとらえどころがない場合は別として、当事者普通の意思を推測し、また救済に必要と考える場合には、常素内の各方法を総動員して救済を命令しうる自由裁量の権限が労働委員会には与えられているのであるが、しかし、明らかに救済を申し立てられていない部分については、救済命令を出しえないのは、当然であろう。たとえ、それが同じ当事者間の問題であり、申し立てられた事件と密接な関係があろうと

も、それは、本質的には、別件とみるべきだからである。従つて、例えば、五月三十一日の団交拒否についての救済申立はあつたが、それには、不当労働行為は認められず、むしろ、それに先立つ四月二十八日、二十九日に団交拒否があつたと認められても、「然しながら、この点について申立人組合は何ら救済を求めていないので」救済命令は出さないのは当然である（空知芦別事件、北海道地労委昭二六・六・二八）。ところが救済の申し立てがないにもかかわらず、申立人以外のものを対象にして、申立部分に付加して救済を与えた命令がある。解雇からの救済を求めた申立人Aに協力（証言など）したことを理由に申立人でないところのSが再雇用につき不利益にとり扱われた。そして、Sは、本件では、何も自分の救済を求めてはいないのに対して（本件は、労組法七条一号事件であり、四号事件ではなかつた）、

【53】　申立人ではないところの「仙頭秋子がこの解雇（注—再雇用拒否か。命令からは不明）に反対し、復職を希望していることは、これまた当委員会に顕著なる事実である」として、「被申立人は、本件に関して申立人のために証言した仙頭秋子に対し、その故をもつて不利益な取扱いをしてはならない」と命じた（高知双葉講事件、高知地労委昭三〇・一一・二一）。

むろん、この命令は、違法であるが、面白いことに、本件は、緊急命令、取消を求める行政訴訟で数度争われたにかかわらず、緊急命令の申し立てにおいても、この部分だけは除外して緊急命令の決定を求めており（高知地判昭三〇・一二・二七労民集七・一）、また本訴においても、裁判所は、その違法を疑つているらしいが、「尚原告は、被告の本件命令第三項（注—すなわち、ここで問題となつている部分）については明らかに争わず、それが違法である旨の主張すらしていないので、原告の本訴請求中本件命令第三項の取消を求める部分は既にこの

点に於て棄却を免れない」とせられた（高知地判昭三三・九・二七労民集九・六）。

五　選択的命令など

一　期限付、条件付命令

救済内容の実現について、期限または条件のような付款をつけるものがある。それぞれ、その事件の特別の性質によることなのであるが、例えば、「会社は、この命令書交付の日から二カ月以内に」救済せられる本人から「支社に勤務するむねの意思が表明された場合には、直ちに本人を支社の原職に復帰させなければならない」（明治鉱業事件、北海道地労委昭二六・九・一〇）とか、被申立人は、「申立人組合が被救済者として主張している者のうち、本命令書交付の日から二週間内に就業の申出をした者に対し」復職させよ（福岡国際観光ホテル事件、福岡地労委昭二七・六・五）という種類のものである。

二　選択的（予備的）命令

例えば、被申立人は、申立人を解雇の日に「遡り原職又は原職と同等の職務に復帰せしめるか、又は即時原職又は原職同等の職に復帰せしめねばならない」（愛知県事件、愛知地労委昭二五・三・三一）とか、即時復職と賃金遡及払を命じながら「若し、被申立人の公共団体たる特殊性よりして、前項の復帰が不可能なる事情ある場合には、申立人の解職を依願退職と同様に取扱い、被申立人の一カ年の給与相当額を至急同人に支払わねばならない」（名古屋市事件、愛知地労委昭二五・五・二六、名古屋交通局事件、愛知地労委昭二五・三・三一）とか、懲戒処分を取消し、他の運転手と「平等の条件で同会社に転職せしめるか、若しそれが不能ならば右両名を弥栄自動車株式会社のハイヤー又はタクシー部門に復職せしめ」よ（弥栄自動車事件、京都地労委昭三三・一・九）とか、被解雇者を「原職またはこれに相当する職、これが不可能なときは、最もこれに近い職に復帰させなければならない」（駐留軍板付事件、福岡地労委昭三〇・八・三一）とか、「一、会社は、昭和三十五年度の賃金要求に関する団体交渉の交渉主体の調整、交渉の日時等の手続処理のため、合化労連および単組と、直ちに団体交渉を行なわなければならない。二、前項の交渉がまとまらないときをふくめて、前項の履行ができない場合、会社は、昭和三十五年度の賃金要求に関し、単組と団体交渉を行なわなければならない。この際、会社は、単組の委任を受けた合化労連役員若干名が参加することを拒んではならない」（合化労連事件、中労委昭三五・四・一）というような種類のものである。いずれもかなり特殊な事件であることが、こうした命令が出されたゆえんである。従って、基本的にこうした命令を否定するのはいけない。しかしこの特殊性があまりに考慮されることになると、望ましくないことだといわざるをえなくなる。ことに、使用者の任意履行、つまりその一存でことが決まるのでは、命令が相当無意味になるおそれもあろう。そこで、とくにそう考えられる名古屋市役所事件と駐留軍板付事件については、中労委の再審命令で変更を受け、予備的部分は削除され復職が一本で命令せられたが（名古屋市役所事件、中労委昭二六・四・七、駐留軍板付事件、中労委昭三一・一二・一九）、弥栄自動車事件については、その事態の特殊性を認めて（従来の事業の一部の従業員の全部を、全く不当労働行為的でない事情に基いて設立された別会社に転属せしめている。そのため、使用者が、申立人の希望するように、同人らをこの別会社に転属することは、その会社の同意なしにはできない。そこで、その努力を含めて右の命令が出された事情）そのまま是認されている（中労委昭三三・一一・二六）。合化労連事件では、中労委は、こうした選択的命令を出した理由を次のように説明している。

【54】「以上の判断および本件労使関係の実情ならびに昨昭和三十四年の交渉等に際して合化労連の役員が

事実上参加した事情、合化労連が上部団体として争議解決に相当強力な指導力をもつていること、今次要求にいたるまでのいわゆる三権委譲が委任の意味をもつか否かはつきりしない事情、申立人側交渉委員が合化労連役員をふくめすべて合化労連から指名されている実情の下にあつては、かりに各会社がそれぞれ当該単組とのみ交渉するとしてもその交渉委員から合化労連役員を一がいに排除しえない事情等を総合してみるとき、当委員会としては、申立人らの求める救済内容（注—「合化労連及び各単組と団交せよ」という趣旨である）をそのまま認めることは適当でないと考え、主文のとおり命令した」（合化労連事件、中労委昭三五・四・一）。

実情としては、まさに時宜に適し、上部団体との団交についての中労委のこれまでの理論と実態との調和を図つたものであつたろうが、はたして緊急命令の申立になつて、そのいずれの項の履行に中心がおかれるかが問題となつた。

【55】「本件救済命令中主文第一項の部分を仮に会社の任意履行を期待した趣旨のものではないと解すべきであるとしても、本件救済命令では、その主文第一項について、理由のいかんはしばらく別問題として、会社に命じた団体交渉がまとまらないときをふくめてその履行ができない場合の生ずることをあらかじめ予想したうえ、そのような事態のもとにおいては、会社の不当労働行為排除の方法としては、主文第二項に定めるような内容の救済措置を講ずることをもつて足りると判断されたものと認めるのが相当である。このようにみて来ると、本件救済命令においては、主文第一項と同第二項との間に融通性が存し、右主文第一項の命令は、不当労働行為に対する救済方法としては、かなりの相対性、寛容性をもつている（これに従うかどうかを会社の任意に委ねたものであるとまで断定する意味ではない）ものというべきである。

さて本件救済命令第一項の部分は、主文第二項が会社に対し単組と昭和三十五年度賃金要求に関し、単組の委任をさけた合化労連の役員若干名の参加を拒まないとの条件のもとに団体交渉を行なわなければならない旨を命じたのに対して、右要求に関する団体交渉についての交渉主体の調整、交渉の日時等の手続処理のための団体交渉を合化労連及び単組と直ちに行うべき旨を会社に命じたのであつて、労働者の労働条件その他労働関係に直接関係する事項を対象とする団体交渉の本来の目的からすれば、いわばその準備交渉ないしは下交渉についてて命令したものである。

叙上のような本件救済命令が発せられたについての理由及びその主文第一項の救済方法としての性格にかんがみるときは、本件救済命令中主文第一項の部分については、「会社は、緊急命令によつて会社に対しその履行を強制する程の必要はないものと認めるべきである」として、「会社は、単組の委任をうけた合化労連の役員若干名が参加することを拒んではならないという条件のもとに、昭和三五年度の賃金要求に関し、単組と団体交渉を行わなければならない」という限度で、命令に従うべきだとする(合化労連事件、東京地判昭三五・七・二九、労委速報五〇〇号)。

三 和解的命令

労働委員会が救済命令でなしうる自由裁量権限はひろい。しかし、次のような、いわば調停案のような性質をもつ和解的命令はどうであろうか。あまり好ましいものとは、たれしも思うまい。事件は、第一組合員に対する諸給与差額を確定金額を挙げて示し、まさにこれが不利益取り扱いであるから是正を求めるとの救済申立に対し、差額支給が一般的に不当労働行為であることを認めながら、次のように命じたものである。

【56】「三、被申立人会社は、申立人組合に対する昭和二十八年五月の給与扱い変更より、この命令の受理に至る間の賃金その他諸給与の差額を是正すること。そのため、(イ)会社と組合と両者同数の委員をもつて構成せられる委員会を設置し、右是正につき協議すること。しかるのち、(ロ)右により是正せられた諸給与額と(中略)すでに支給した金額との差額を、会社は組合員に支給すること。四、この命令の受理後一カ月以内に右委

員会において協議がととのわないときは、会社は組合の同意をえて岡山地労委に労調法の精神による仲裁を申請しその裁定に従うこと。」その理由としていうところは、「諸給与の決定が複雑な諸要素を勘案して行われるものであることは会社の主張を待つまでもなく当然のことであり、当委員会としても各組合員に対する差別額を正確に算定するには具体的資料に乏しいのみならず、組合のいう如き一律的な同一待遇というものが必ずしも実質的な平等をもたらすものとは考えられない点もあるので、むしろ右差別の是正は、先ず当事者間の協議により決定することを求め、決定に達しない場合に当委員会で行う裁定に従うよう命ずることが、本件の特殊性と労働委員会の性格に鑑みるとき最も現実的であり且つ妥当と思われる」というにある(下津井電鉄事件、岡山地労委昭三〇・四・二二)。

第一に、組合に協議義務を負わせるのは、命令の名宛人が会社である以上できない相談であるし、第二に、確定金額が算定できないで差別待遇ありと判断することはできなかつたはずである。それが立証できなければ、棄却するほかなかつたであろう。いずれにせよ、ここまで来ては、自由裁量もその限度を超えたといわねばなるまい。なお、本件に似たものに、小倉製鋼所事件の命令がある。ここでは、「被申立人は、労組員五名に対する昭和二十四年五月分以降本命令書交付までにおける生産手当、褒賞金の配分につき、その補償を申立人と協議して決定しなければならない」とするものである。何がどう救済されたのか判らないし、組合員に協議参加の義務を負わせるのも納得できない。そしてこういう命令をした理由を生産手当と褒賞金について「右の五名の場合について検討した結果、本委員会はこのような著しい差には、該当者等が申立人組合員であることに起因するものが含まれているものと判定した。このことは、労組法七条一号の『労働者が労働組合の組合員であることの故をもつて不利益な取扱』をなしたことに該当する。但し、本件申立後において右の不当差別が漸次改善されていることを考慮に入れ補償方法については主文の通りとした」というのである（小倉製鋼所事件、福岡地労委昭二五・五・一五）。ひとり合点もはなはだしい。

六　再審査命令

再審査の命令については、以上の諸問題のほか、中労委は、地労委の初審の「処分を取り消し、承認し、若しくは変更する完全な権限をもつて再審査し、又はその処分に対する再審査の申立を却下することができる」（労組法二五条二項）のではあるが、むろん、nemo index sine active（訴なければ裁判なし）の原則、いいかえれば、reformatio in pejus（不利益変更）禁止の原則に従つて、「初審の命令は、不服申立の限度においてのみこれをすることができる」（中労委規五五条）という制約がある。まだこの点について問題としてとり上げるほどのものはない。

救済手続

大和哲夫

はしがき

労働委員会の審査手続は、裁判所の歴史を考えると、わずか十年余を経たにすぎないのであるから、まだほんの草創期にすぎない、といえるだろう。これからもいくつかの試行錯誤を経ていく。本文中でもみるように、判例によつて審査手続がいくつかの点で〃はさみ打ち〃に会つている。まだ歴史の浅い労働委員会にとつて苦すぎる薬だともいえる。いつぽう、大筋の部分で深い理解を示し激励している判決も多い。労働委員会の自律によるほか、これらの判決によつて、現在の審査機能のリミットが画されているのである。

本稿は中労委規則という細かい審査手続に関する規定をそのほとんどにわたつて各所で取り扱つている。技術的な規定の解釈運用に当る者は、えてして文理、論理ないしは制定当時の意図のみにとらわれやすい。だから、労組法ひいては憲法をふくめた法全体から、細部の規定を客観することが大切だ、といましめながら筆をとつたが、不十分に終つてしまつた。

なお、分にすぎた希望だが、戦後生れた多くの行政委員会中、今日もなお活発に実質的な活動をつづけている労働委員会が、各層の理解により、なお改善されることの一助となつてほしい、とも思つている。多年にわたり御指導くださつた三藤教授に感謝をささげながら。

（昭三五・八・三一）

一　序

労働委員会における審査手続は裁判所におけるそれと異なり、あくまで行政処分を行なうためのものである。不当労働行為の判定を労働委員会に行なわせることにした最大の眼目は、具体的に妥当な行政処分的自由裁量を迅速に行なうことによつて、事件を公正に解決させるためである。労使関係は力関係によつて動くといわれるように、その紛争は時を経ればよりよい解決も全く無意味となる。われわれは、この審査手続のなかでも、いかに時の経過が他の種紛争よりも双方にとつて決定的であるか、を見るであろう。そして審査手続自体、またこれを行なう委員会自体のなかにも、そのような理想的な迅速妥当な解決を阻害している要素もあるのである。

このような労働委員会の審査の性格からみたとき、その審査手続も形式的厳格さが求められるのではなく、実質的な合目的なものがどのような形のなかで表現され、実現さるべきかが問題なのであることを知るのである。労働委員会の性格に関連しその審査手続の重要な部分の一つをしめる審問にふれたものとして【1】がある。

【1】「労働委員会のような行政委員会の基本的な性格は、旧来の三権分立機構、即ち立法府が法を作り、行政府はそれを執行し、それに対する違反が起つた場合に司法府は裁判によつて救済するという機構への批判にある。即ち現代の社会経済事象の複雑化高度化に伴つて、いろいろの問題が生じて来てこの複雑なる事象を規制し、その間に発生する紛争を解決するためには極めて複雑な政治的、経済的、社会的な考慮を払わねばならず、従来の議会、裁判所にとつては余りに複雑にしてしかも迅速な処置が要請せられる事情が生ずるに至つて、

おる。従つてこの分野においては熟達した専門家が絶えず調査と研究をなして事情に応じた立法を行い、紛争を解決すべき必要に迫られているものといわねばならず、ここに行政委員会なるものが登場するに至つた理由が存するのである。

他面憲法七六条一、二項は「すべて司法権は、最高裁判所及び法律の定めるところにより設置する下級裁判所に属する。特別裁判所は、これを設置することができない。行政機関は、終審として裁判を行うことができない」と規定し、一切の法律上の争訟は行政法規の適用に関すると否とに拘らず通常裁判所の裁判権に服させる趣旨であることを看取できる。裁判所法三条に「裁判所は、日本国憲法に特別の定ある場合を除いて一切の法律上の争訟を裁判し、その他法律において特に定める権限を有する。前項の規定は、行政機関が前審として審判することを妨げない」と規定しているのも憲法の趣旨を改めて宣明したものである。これ「法律による行政」を実質的に担保するのであり、又法の優位を宣言したものであることは今更いうまでもない。

ここにおいて行政委員会の認定を司法手続によつて審査するという所謂司法的審査の問題が生ずる。換言すれば行政的確実迅速性と司法的公正妥当性との調和の問題である。そうして行政委員会の発生した理由を考慮する時その解決策は行政委員会の司法的作用即ち所謂準司法的手続を裁判所の手続即ち司法手続にできるだけ近づけるとともに、裁判所もできる限り行政委員会の事実認定を尊重し、法律問題のみを審査するということに求められねばならない。

かく解する時は行政委員会における準司法手続は司法手続に代つて司法的公正妥当性の要求を充すべきものとして極めて重大な意義を有するものである」（揖斐川電工事件、岐阜地判昭二六・七・二労民集二・二・二一五）。

労組法が労働委員会に不当労働行為の救済手続を行なわせることとしたゆえんが右のようなものであるとすれば、「不当労働行為の諸類型なるものが、本質的に、すぐれて、事実的で、あり、その救済も又すぐれて事実的に、幅広く行なわれる必要がある」（三藤・諸問題四頁）不当労働行為事件を別個に裁判所でも取り扱う必要があるのか、という問題が生ずる。労働委員会の審査が司法審査をうけるのを当然だとすれば、同一内容の不当労働行為事件が最高八回調べられうることになる。

そのような実際的不合理はしばらくおくとして、すぐれて事実的な不当労働行為の諸類型のうちの法律行為であるもの――解雇等に限られてくる――を無効と考えるかどうかについて、学説がわかれている。「不当労働行為として労組法七条一号が予定するものは、それが労委の判断を通して救済せられることにより、労使の自由対等を回復させるための目安である。これは、その目的のためにのみ奉仕するのであり、解雇を民法上有効とするか無効とするかの要件ではない」（三藤・講座二巻二六八頁）あるいは、旧法と異なり、現行法の下における労働委員会の命令を媒介として、いわゆる原状回復に主眼をおく方式は、組合運動の自主性を害うことなく、労働運動の形成力を活かすゆえんであるから、不当解雇に無効の効果を併わせ認めて、仮処分による救済を認めることは不必要（吾妻「不当解雇の効力」法協六七・六）という意見があるが、通説（石井・労働法一八一頁、菊池＝林・労組法九八頁、柳川外・全訂一四七二頁等）および判例の大部分は、無効を前提として訴訟をすすめている。

判例としては、法七条違反即無効とするものと、法七条に違反するような解雇は民法九〇条の公の秩序に反するものだから無効とする、とする考え方がある。後者はいくぶん無効否定説の影響があるものというべきであろうか。ところで、最近これを一歩すすめた考え方の判例もでてきている【2】の判例が少し注目されるのである。

【2】「この点に関して、原審はDの本件解雇は労組法七条一号に違反する当然無効のものであり、Dは依然として控訴会社の従業員たる地位を保有するが故に、本件救済命令は控訴会社にはじめからその義務のある

ことを命じたまでであるとして、右救済命令を是認している。そしてこのように、不当解雇を私法上当然無効と解されるか否かは、Dに対する本件救済命令の適否判定の思考過程に若干影響するところがあると思われるので、以下少しくこれについて附言しよう。

まず結論から先にいえば、当裁判所は現行労組法の下において不当労働行為たる解雇を私法上当然無効と解することは、その理由に乏しいものと考える。不当解雇が私法上当然無効のものかどうかを判断するに当つては、勤労者の団結権等を保障した憲法二八条の規定を無視することができないのはもちろんであり、同条は勤労者の団結権等を単なる自由権として認めたものではなく、それ以上の積極的意味をもつた規定と解すべきであろう。だが、さればといつて、これを一般の私権と同様な具体的な権利として保障したものともいえないのであつて、結局のところ、国が、勤労者の団結権等に対する侵害を除去し、勤労者が真にこれらの権利を実現し得るような素地環境を作り出すべきことを、国の義務として要請したものと解するのが正しいと考える。そして国は、憲法の右の要請に基づいて、個々の立法においてこれを具現しているのであつて、不当解雇が私法上無効なりや否やは、これら具体的な法体系全体としての構造およびそれとの関連において、不当解雇を無効とすることの社会的効果などの点から考察さるべきだと思われる。

ところで現行労組法は、不当解雇を旧労組法のごとく罰則の対象とすることなく、国の機関たる労働委員会が労使の間に介入することに焦点をおいて、委員会をして不当解雇に対して救済命令を発せしめることにより、使用者による団結権等の侵害を排除するたてまえをとることにしたのである。いいかえれば、旧労組法の下では罰則だけでは使用者による不当解雇を防止するに十分でなく、これを私法上も無効とすることによつてはじめてその効果を徹底せしめることができたのであつて、ここに不当解雇を無効とすることの実質的意味があつたわけである。しかるに現行労組法は、不当労働行為の救済機関としては労働委員会を第一義的の機関とし、この委員会が労資関係の実体に介入することを本体として不当労働行為を排除するたてまえをとるに至つたのであつて、こうした法制の下においては、それだけでは排除の効果が不十分であり、私法上もこれを無効としなければならぬ必要は失われたものというべきではあるまいか。のみならず、労働委員会への救済命令申立と裁判所に対する無効訴訟との両者の競合を認めるときは、労働委員会と裁判所との判断に矛盾衝突をきたすおそれを免れず、かくの如きは屋上屋を重ね、機構の混乱を招く以外のなにものもない」（淀川製鋼所事件、大阪高判昭三五・一・二一労民集一一・一・二二）。

このことに関連して、法二七条一一項が、労働者側の中労委への再審査申立をなしうることとあわせて、訴の提起を妨げない旨規定していることが問題となる。後述のように、判例の立場は民事訴訟【50】はもちろん行政訴訟もふくむ【61】と解している。

労組法の基本的問題の一つとしてさらに今後検討を重ねらるべき事柄であろう。

二　管　轄

一　中労委地労委間、地労委間の管轄

労組法二五条は、特に地労委の管轄にはふれず、中労委の権限として、一八条（労働協約の地域的一般的拘束力）二〇条（労働委員会に共通した権限規定）二六条（規則制定権）二七条（不当労働行為の救済）労調法三五条の二から三五条の四（緊急調整）不当労働行為と資格審査の再審査、を規定するほか、二以上の都道府県にわたるか、全国的に重要な事件のあつせん、調停、仲裁および処分についての中労委の優先管轄をきめているにとどまる。そのほか労組法において管轄に関係ある規定は、一九条二二項の船員労働委員会に関するもののほか、明文はない。

したがつて中、地労委間または地労委間の管轄の具体的適用は、施行令と中労委規則によるほかはない。ところが施行令はその二七条で法の中労委優先管轄の規定にかかわらず、二以上の都道府県にわたる事件のうち不当労働行為事件についてのみ特例を設けている。すなわち施行令では、二以上の都道府県という基準をもつてこずに、全国的に重要な事件および法七条四号違反以外は原則として地労委という建前をとつている。判例で管轄を問題にした事例はない。管轄権のない労働委員会の命令の効力については、管轄が強度の公益性に基づくものではなくいわば便宜に近い性質をもつことから、当然無効とされる事例はきわめて少いと考えられるし（同旨、柳川＝高島・労働争訟二五頁）、以上の規定の経緯からみても審級の利益の考え方はそれほど考慮する余地が少ない。

初審管轄を有する労働委員会は、不当労働行為の当事者である労働者、労働組合、使用者の住所地または主たる事務所を管轄する地方労働委員会か、不当労働行為の行なわれた地を管轄する地方労働委員会で、法七条四号違反の場合には同号関連の地労委・中労委であり、いずれの場合でも二以上の労働委員会に一つの事件が係属するときは最初に申立をうけた労働委員会とする（施行令二七条一項、二項）。この場合申立をうけた労働委員会が管轄権を有しない（管轄違い）と認めれば管轄を有する委員会に移送することになる（規則三〇条）。移送をうけた委員会ははじめから係属したものとみなされる。管轄権を有する一地労委に一事件が係属している場合、同一事件が二以上の地労委に係属し最初に申立てられた地労委に管轄がある場合、中労委は他の労働委員会に管轄を指定しうるし（施行令二七条三項）、また相互に関連ある二以上の事件が各別の労働委員会に係属する場合そのうちの一つの労働委員会に当該事件の一つにつき管轄指定することができる（施行令二七条四項）。このように中労委は管轄につき相当強力な弾力性ある権限をもつ。申立をうけた労働委員会が管轄に疑いをもつた場合には中労委に管轄指定の請求を行なうが、この場合も中労委は施行令二七条四項の管轄指定と同様に公益委員会議の議を経なければならない（規則三一条三項）。中労委規則の管轄に関する通則のうち一七条一八条は法の管轄原則をそのまま受けて規定したもので、このうち二以上の都道府県に関する規定は不当労働行為については適用ないものと解される。規則二〇条のいわゆる合意管轄についても適用の余地はほとんどないといわねばならない（積極説、色川・労働法講座二巻三八六頁）。中労委が全国的に重要と認めれば、いかなる事件も中労委の初審優先管轄となる（施行令二七条五項）。中労委優先管轄に関しては、地労委に申立てられた事件につき前出の規則一七条ないし二一条の調整事件とも共通する一般的規定が適用されるが、中労委自体に直接申立てられた事件の取扱いについては、移送に関する規則三〇条があるのみで細部の規定を欠いている。また中労委は全国的に重要と認めた事件および四号事件で中労委の管轄に属する事件でも地労委に管轄指定をすることができる（施行令二八条）。

二　全国的重要の取扱例

中労委が全国的に重要として優先管轄したケースはこれまでほぼ三種類に分けられる。第一のグループとしては、全国的な労働運動に重要な影響を及ぼすべきものとして、全国的規模を有する労働組合の中央役員の解雇問題があつた。これは現行法に改正された昭和二四年六月から約一年間中労委の原則としてとつた態度であつたが、その種事件でも地労委に移送された事件もありその基準は具体的には明確ではなかつた。この考え方は昭和二五年四月頃から改められ、全国的規模を有する労働組合の中央役員の解雇問題も地労委扱いとされた。

第二のグループとしては、昭和二五年夏頃から昭和二六年にかけてのいわゆるレッド・パージ事件があげられる。そのもつ政治的意味と占領下の特殊事情がこの種事件の統一的運営を必要ならしめた要因である。新聞・放送・電産・日通はそのまま中労委初審として審理され、その他の一般企業については中労委管轄ときめた後現地の地労委に管轄指定する措置をとつた(施行令二七条五項、同二八条)。なお、いわゆるレッド・パージに近い政治的意味をもち、かつ統一的運営を或る程度感ぜしめたものとして、昭和二四、五年のレッド・プランによる企業整備事件、駐留軍事件等があつた。

第三のグループとしては全国的単産の団交拒否事件がある。最初の事件としては昭和二九年の近江絹糸事件があり、この時以来かかる事件を中労委管轄としてきた。

地労委から中労委に中労委優先管轄の事件ではないかという趣旨の連絡は少なくなかつたが、中労委がとりあげた事例はない。また地労委間の管轄で中労委へ問題をもちこんだ事件もあるが、施行令で割合はつきりしているため、実際の処理上問題を起した事例は存しない。

三　その他の管轄問題

以上のような問題よりも、ケースはきわめて稀であるが、理論的にも実際的にもむづかしい問題をはらんでいるのは、一般の労働委員会と船員労働委員会間の管轄である。特に船員法の適用をうける船員と港湾労働者等船員法の適用をうけない労働者と一つの組織にある場合など、施行令にも規定を欠いているので、稀に組合間のナワバリ争いと関連して将来問題を起す可能性をもつ。実際には陸海双方の労働委員会の事務連絡によつて解決されているが、判例もないので大筋の基準としてはつぎの二つの行政通牒が参考となろう。

船員法の適用をうける船員と一般の労働者とが一つの労働組合を結成している場合、その労働組合に関する管轄は、船員法の適用を受ける「船員」が、当該組合の主たる構成員であるときは、船員労働委員会にあり、然らざるときは一般の労働委員会にある、と解する。ただし労働者個人に対する不当労働行為の管轄は、所属組合の如何に拘わらず、当該労働者が船員法の適用を受ける「船員」であるときは船員労働委員会であり、然らざるときは一般の労働委員会である（昭二四・九・一、労六七五二号労政局長より長崎県知事宛）。

一般の労働者と船員法の適用をうける船員とが一つの労働組合を組織している場合、この労働組合或いはその組合員に対して行なわれた不当労働行為事件に関する一般の労働委員会と船員労働委員会との管轄は、単に当該労働組合を組織する組合員の数において一般の労働者或いは「船員」の何れが多いかによつてのみ決せられるものではなく、当該労働組合の運営の実態及び申立てられた不当労働行為の態様などをも考慮して実質的に判断されなければならない。設問の如く組合員数としては一般の労働者の方が少数となつていても、組合結成の経緯、現在における組合運営の実態などからみて、労働組合の主体性が一般労働者にあると考えられ、かつこの労働組合の組織運営に関する使用者側の支配介入として救済が申立てられている本件の場合には、その管轄は一般の労働委員会にあるものと解して差支えない。なお、具体的事件の管轄決定に際しては、関係船員地方労働委員会とも連絡のうえ、適宜円滑な処置を図られたい（昭二八・八・二一、中労委審二発三、八六〇号、中労委事務局長より大分県地労委事務局長）。

その他の問題として、地公労法の適用下にある労働者が地方公務員と同一組織をもつた場合の人事委員会と地方労働委員会との間に似たような競合が起りうる。

三　申　立

一　申立の性格

不当労働行為の労働委員会に対する申立がいかなる意味をもつか、したがつて、また、いかなる効果を結果するか、については、法律上必ずしも明確ではない。

労組法二七条一項は不当労働行為の審査が申立により行なわれること（申立主義）を規定している。この点が旧労組法一一条違反、現行労調法三七条違反と異なつている点である、と指摘されている。つまり形の上では申立主義さらには当事者主義の手続の構成がどの程度民事訴訟の手続に近づくべきものか、が申立のみならず不当労働行為審査の手続全般について実務上問題とされているところなのである。

労働委員会に対する申立が、民事訴訟の訴状における請求の趣旨およびその原因と全く同一性格のものと解しえないことは、おそらく【3】によつても明らかであろう。

【3】「いかなる不当労働行為があつた場合に、いかなる救済命令を出すべきかについては、全く法規に定めるところがない点から考えると、労働委員会はその裁量によつて、申立の趣旨に反しない限り、具体的事件に即して右の目的を達するに適当な処分を命じうるものと解すべきである」（山岡内燃機事件、大阪高判昭二七・八・一五労民集三・四・三〇四）。

ところで、現行法の母法とされているワグナー法ないしタフト・ハートレイ法下における全国労働関係委員会（NLRB）では、この点どんな仕方になつているであろうか。不当労働行為を行なつたまたは行なつている旨のチャージ（charge. 申立というべきか告発というべきか、むしろ告発に近いものとみるべきだろう）は、何人も（made by any person）管轄するＮＬＲＢの地方事務所長に行なうことができる（ＮＬＲＢ規則—Rules And Regulations—一九五九年九月一四日改正——九条、一〇条）。チャージの必要的記載事項は、チャージを行なう者の氏名住所、労働組合の場合は、その加盟する、またはそれが構成員となつている、全国的労働組合または国際労働組合（アメリカではカナダの労働組合の入つているもののみを指しその他の世界的組合連合等はふくまず）の名称および所在地、チャージの相手方の氏名住所、不当労働行為を構成する事実に関する明確かつ簡潔な説明、である（規則二二条）。チャージについての調査は地方事務所長下のフィールド・スタッフによつて行なわれ、チャージを裏付ける証拠の提出を求め相手方の見解を求める（ＮＬＲＢ手続細則 Statements of Procedure—四条）。　この段階で、違反の事実がないか提訴を裏付ける証拠がないと判明した場合、地方事務所長はチャージを行なつたものに取下げを勧告し（手続細則五条）、この勧告を拒否すれば却下される（手続細則六条）。あるいはその他の解決が図られることもある（同四条七条）。この（コンプレイントを発するまでの）段階での終結事件（調整・取下・却下）は総事件数の九一％強をしめている（ＮＬＲＢ年報二三巻一九五八年）。チャージの却下については不服申立の方法もあり（同六条）、地方事務所長はチャージに基づいてコンプレイント（complaint.　提訴というべきか）を発し公式手続に入る。

労組法二七条一項の規定は、それだけよめばあるいは公権発動を促すだけの意味を主としてもつものとも解しえようが、同条一項後段三項四項等にあらわれた対審の原則を貫くべき要請（手続の公正と結果の正当性を担保する）を併わせ考えると、できるだけ当事者主義に近づいた手続を求めている、といえるであろう。現行法がワグナー法、タフト・ハートレイ法の範をとりながら前記のような申立（告発）を遂行する公的機関（ジェネラル・カウンスル、地方事務所長、フィールド・スタッフ等）の制度に欠けているところから、救済制度を相当不完全なものとしている。口頭申立制度、取下、和解、審査の実効確保の措置、等の規則面にあらわれた諸規定は、ＮＬＲＢのジェネラル・カウンスル系統の役割の幾分かを事実上果さしめており、これらの運用によりわが国の不当労働行為事件でも申立事件数の八五％程度は和解・取下となつて解決をみているのである（労働委員会年報14四五頁参照）。制度を労組法に示された政策にそつて有効に発展せしめるためには、ＮＬＲＢにみられるジェネラル・カウンスル系統の事務機構の欠けている点を、将来何らかの形で補なうものが考えられて然るべきであろう。

二　申立人

（一）申立人一般　(1)　申立人たりうるものとしては、その範囲については意見のわかれるところがあるにせよ、通常、利害関係を有するもの、と考えられている（柳川＝高島・労働争訟二八頁、菊池＝林・労働組合法二七七頁、和田良一＝吾妻編・註解労働組合法四六九頁等）。

申立利益を厳格な意味での訴訟利益と同等に解することはできないことは前項申立の性格からも明らかであろう。したがつて、労働委員会の申立人に関しては「その法律関係の当事者の外にその法律関係につき処分権を有しない」ものの訴訟追行権を否定した判例（共同通信社事件、最判昭二七・四・二労民集六・四・三九三）を準じて考えるべきではない【4】。なお後出【59】も間接的にそのことを認めている。

【4】「被申立人は、個々の組合員に対する不当労働行為については、これが救済の申立は当該組合員より為

すべきであつて、組合はその適格を有しないから本件申立はこの点において不適法であると主張するけれども、労組法及び中労委規則には、組合員に対する不当労働行為につきこれが救済申立をなし得る者を当該組合員に限る旨の規定がないばかりでなく、労組法五条一項の規定は個々の組合員に対する不当労働行為につき当該組合員は勿論、組合もまたこれにつき救済の申立を為し得ることを当然の前提とし、組合が同法二条及び五条第二項の規定に適合することを立証しない場合、即ちその資格審査において適法と認められない場合には組合としては救済の申立を為しえないがこの場合にも組合員たる個々の労働者は救済の申立を為し得る旨を規定したものであり、またこれを実質的にみるも、組合員に対する差別待遇その他の不当労働行為は同時に組合に対する弱体化であるからこれにつき組合は直接の利害関係を有するものというべく従つて民事訴訟法上の訴の当事者適格の問題は格別労組法上の救済を労働委員会に求むる手続においては当該組合員のみならず組合もまた当事者適格を有するものと為すのが正当である」（科研事件、東京地労委昭二七・七・三〇命集七・一三四）。

(2)　そこで、不当労働行為制度の保護しているものは何か、という基本的なこととの関連で申立人が問題とされてくる。制度の保護しているものは【5】の如く考えてよいであろう。

【5】　「もともと労組法七条は、同法一条に掲げる目的を達成する限りにおいて組合の団結権（団体行動権を含めて）を侵害する使用者の行為を禁止しているのであつて、その限度において個人の救済も行なわれるのである」（電産兵庫事件、中労委昭二六・四・四命集四・一六六）。

これを申立権との関連で論じたものとして【6】の判例があり控訴審もこれを支持して【7】のようにいう。おおむねこの考え方で妥当であろうが、【5】の制度の保護しているものに対する考え方から徹底して考えるとき、労組法七条一号四号違反の申立は、団結権の侵害と同時に個人の利益の侵害でもあるから、団結権を侵害されたとする組合と当該個人いずれも申立人となつてよく、労組法七条二号三号の違反は、もつぱら労働組合という団体に対する侵害であるから、もつぱら団結権を侵害されたとする組合申立に限らるべきだ、という議論がでてくる（申立権者を各号毎につき詳説するものが多い。斎藤・講座二巻三五七頁、色川・講座二巻三八八頁、和田・吾妻註解四六九頁）。各号による申立権の有無を区別するこれらの考え方は、労働組合の消滅した場合、事実上申立できない状況になつた場合、等で救済を必要とする事態が現実にあること、および一号二号三号四号の各規定はそれほど厳格に区分されえないことが多いこと、等から、行政的指導としてはともかく、理論的にもとりがたいし実情にもそわないので、それほど実益はない。

【6】「不当労働行為について何びとがその救済申立をなし得るかについては労働組合法自体には明かになつていない。しかしながら労組法二七条は不当労働行為に対する処罰を定めたものでなく、労働者またはその組合を右の行為から救済することを目的としているものであつて、この点より考えればこれが申立権者は右の救済をうけるについて正当な利害関係―被救済利益―を有する者に限られると解すべきであろう。しかもまた一面この制度が単なる労働者個人に対する権利侵害の救済に止らず、広く組合活動を保護しその自主性の確保を目的とする公益的性格を有するものなる点からすれば、右の被救済利益はこれを広汎に認めるのが相当であり、特に労組法七条三号違反については同条一号及び二号の場合に比しその点が強調されて然るべきものと思われる」（山岡内燃機事件、大津地判昭二六・七・一七労民集二・四・四八三）。

【7】「不当労働行為に対し、何人がその救済申立をなしうるやは、労働組合法二七条には明定されていないが、右の申立は不当労働行為に対する行政上の救済を求めることを目的としているものであるから、これが申立権者は、右の救済を受けるについて、正当なる利益（被救済利益）を有する者に限ると考えられる。……

そして不当介入救済の申立については、当該組合自体はもちろん、これを構成する各組合員も救済利益を有するものとみるべきであるから、右N外六名の本件不当介入救済の申立は適法なりというべきである」(山岡内燃機事件、大阪高判昭二七・八・二五労民集三・四・三〇四)。

(3) したがって、二号三号事件で頭から個人申立を否定した命令(万座硫黄事件、群馬労昭二七・五・二七令集六・一〇〇)が若干あるが疑問である。また【6】【7】よりさらに広く申立人の範囲を考えた命令【8】もある。

【8】「思うに現行労働組合法のいわゆる不当労働行為制度は特定の労働者又は労働組合をいわゆる使用者の不当労働行為から救済して不当に歪曲せられた労使関係を正常の状態に回復することを目的とするものであり、元来が民事的な特定の法律関係に介入するものに外ならないから、この点より考えるならば救済を求めうるものすなわち救済申立権者を刑事犯罪における告発の如く無制限に認めるの要なく、当該歪曲せられた労使関係の是正について何等かの利害関係を有するものに限定するを相当とする。然しながらこの申立権を最狭義に解し当該の労働者又は労働組合のみに制限するならば、この申立権の行使自体が不当に抑圧せられて折角の不当労働行為制度も発動の機会を失なうに至る恐れを生ずべく、かくてはこの制度が一般労働者の組合活動の正常な運営を保護育成することを目的とした公益的性格に背くことになるので、この制度のもつ公益的性格にかんがみその実効をあげしめるためには右にいわゆる救済を求める利害関係なるものをできるだけ広汎に認める要あるものと解する」(福井鉄道事件、福井地労委昭三〇・一〇・二八令集一三・一七〇)。

(二) 労政事務所長　(1) 【6】【8】にいう救済の公益的性格をさらに強調すると、申立は公衆訴追ないしは職権訴追的性格となり(公衆訴追説東大・註釈二一四頁、有泉・法曹一・六・三九頁)、申立人に関ししかく論議する実益を失なう。もちろんかかる解釈も可能な考え方の一つであるし事実このような運用がはかられようとし、また一部実施された時期があつた。すなわち、昭和二四年頃における、労政当局のつぎのような行政通牒にもとづくと思われる、労政事務所長による不当労働行為の申立である。

（不当労働行為の排除について）　労働組合法が改正施行されて既に三月を経過し、同法七条に規定する使用者の不当労働行為の取扱についても先般の解釈例規第一号並びに労政局長談の趣旨に則つて、改正法の精神の円滑妥当な具体的運用に力を致されておると思考するのであるが、組合専従役職員の賃金支払の問題の如き、労働組合の民主性自主性確保の上に最も基本となることに関し、或いは直接にこれらの給与を支払い、或いは貸付の形をとり、或いは贈与と称して支給する等法の趣旨の徹底が未だ不十分である向もあるやに仄聞するので、かかる悪質な不当労働行為に関しては、法の厳正な施行運用を図り、これが排除について爾今格別の努力を致されたい（昭二四・九・一〇、労発三五三　労政局長発各都道府県知事宛）。

(2)　労政事務所長等が申立に関与した事件は一〇件近くあるが、その適法性が裁判で問題とされた事例は存しない。命令としては相反する事例（消極例、南海足袋事件、徳島地労委昭二五・四・一一令集二・三八五、積極例、明関合名事件、愛媛地労委昭二六・八・五令集五・三五）がある。積極に解すべき有力な根拠としては、母法たる米国法において、申立は何人もなしうること、申立についてこれをコンプレイントして遂行すべき国家機関の存するに拘らず継受した現行法にはこれを欠くこと、および現実には申立を遂行維持する能力にかけしかも救済を要するものが相当あると考えられること、等である（積極説、菊池＝林・労組法二七七頁、吾妻・条解二〇九頁）。

(3)　しかし、現行法の運用として一〇年余にわたり、初年度以外には事例が皆無となつてきており、積極説の裏付けとなつた根拠も、実質的には地域的な労働組合の互助的な連けいの発展、上部団体の活動等によつて、薄れてきている。さらにまた他面においては審査手続における対審の原則の具体的確立の情勢と矛盾する面もある。したがって、現段階においては消極に解すべきものであるが（消極説、柳川＝高島・争訟三一頁、和田・吾妻註解四六九頁、色川・講座二巻三八八頁、斎藤・同上三五九頁）、なお検討すべき問題を残している。

（三）申立人たりうるものとして解釈上（柳川＝高島・争訟二七頁、色川・講座二巻三八九頁、吾妻・条解二〇九頁、菊池＝林・労組法二七六頁、和田・吾妻註解四七〇頁）運用上【9】確立したと考えてよいものとして、被害をうけた個人、直接団結権を侵害されたとする組合のほか、上部団体がある。

【9】「再審査被申立人組合は、全国組織である日本炭鉱労働組合の地方組織であって福岡県下の石炭産業の労働組合を結集しており、下部組織たるS労働組合の業務の運営に関し上部組織として利害関係と責任とを有するものである」（振興鉱業事件、中労委昭二七・一〇・二二命集七・一八六、同旨岩倉組事件、北海道地労委昭二七・一二・二四命集七・一二〇、仙台鉄道事件、宮城地労委昭二八・四・三〇命集八・四四、銀丁百貨店事件、熊本地労委昭二八・五・二九命集八・六一、下津井電鉄事件、岡山地労委昭二八・一二・一五命集九・一四三、仙都劇場事件、宮城地労委昭三〇・九・二〇命集一三・二四七、福井鉄道事件、福井地労委昭三〇・一〇・二八命集一三・一六一）。

（四）その他の可能性　(1)　申立人たりうるものの原則は、（三）のとおりであるけれども、現実の申立人はそれらのみではない。そこで、その他の関係者について、その限定の考え方が問題となる。運用としては一応抽象的には「できるだけ広汎に認める要あるもの」【8】と解されるが、その限界は必ずしも明確にされてきていない。なお命令判例の積み重ねを要するところでもある。

(2)　かりに、最も関係の深い利害関係者を第一次利害関係者、以下順次に第二次、第三次とよぶとすれば（そのような区別が現実に立ちうるか否かは別として）、第一次利害関係者の意思または利益に明確に反して、第二次ないし第三次利害関係者が申し立てること、例えば「右所属組合の上部団体たる申立人が被解雇者の自由意思に反して右の救済を求める本件申立」（東芝車輛事件、昭二六・五・一〇命集四・四一二）、には問題があろうが、そうでない場合や、第一次利害関係者の意思に反することが第二次利害関係者の労組法上の強い利益に合致するような場合には、これを認めて差しつかえない場合がある。

そうすると、「本件は労組法七条三号に関するもので、救済をうける者は……組合自体であるから、当然利害関係者たるその代表者が申立人たるべき」（北海道農協事件、北海道地労委昭二四・一〇・一二命集二・四二五）として組合員個人での申立を排斥したのは厳格にすぎるし、前述【7】の趣旨にも反しよう。これに反し、【8】では別の箇所で、上部団体のほか単組の役員名の申立を認めて、「組合の利害は当然組合員自体の利害に連るものである以上、申立人Kもまたその所属する福鉄労組の自主性を確保するため当然本件救済申立をなすべき利害関係を有するもの」という。

(3)　これらについては、いたずらな形式論だけではなく、直接の利害関係を有するものが申立てられなかつた組織上の原因をもしんしやくさるべきだろう。この点につき、【10】は、組合が求める救済内容の実現を、被害をうけたとされる個人が、必ずしも希望しない場合の考え方として、また、申立ないし不当労働行為における利害関係者、ひいては、救済内容について、示唆深いものをふくんでいる、といわねばならない。

【10】「労組法上使用者による団結権、団体交渉権の侵害があつたとき、侵害をうけた労働組合または被害をうけた個人が救済申立をなしうるのであるが、この場合個人が例えば自己の自由な意思により完全な合意で退職したような場合に個人として救済を申立てる意思がないと考えられるときでも、これによつて労働組合の救済を申立てる利益が直ちに失なわれるものと解すべきではない、ただ労働組合の申立による場合、個人の意思一身専属の利害を全然無視することが適当でない場合がありうるにすぎない」（明治鉱業事件、北海道地労委昭二六・九・一〇命集五・六三）。

⑷　なお、後述「却下」の項でもふれるが、申立人組合の解散した旨の執行委員長の陳述だけで「申立人組合の存在は消滅した」と認めて、却下した例（日鉄輪西海陸作業事件、北海道地労委昭二四・一一・七令集二・四二八）もあるが、手続としては、形式論にすぎるとの批判も生まれよう（この事件では却下後個人による再申立で審査がくりかえされた。）。これに関連しては、手続上申立の受継（積極説、斎藤・講座二巻二六二頁）ないしは転換のような取扱いを認める余地はあろうかと思われるが、実例はない（後出「再審査における申立人の受継」【54】の例参照）。

⑸　つぎに、除名した組合員について、「組合員が解雇された場合にも、その所属組合は自己の団結権等を擁護するため、右解雇を不当労働行為として救済を求めるについて、独自の利害関係を有するわけであつて、この利害関係たるや、爾後当該組合内部における何らかの事情によつて被解雇者が当該組合から除外せられたことの一事をもつてしても失なわれるものではない」として、当該組合にその申立を認めた例（飯野産業事件、京都地労委昭二五・八・二令集三・一八〇）があり、組合未加入の試用従業員に関する組合申立について、「労組法七条一号ないし三号の法意は当該組合員に限る趣旨ではなく、いやしくも不当労働行為なりとするものが、当該労働者の利益のために救済を求めることを容認したものと解すべきであるから、K等四名がすくなくとも第二組合結成のために活躍したことを理由に不当解雇したものであると主張する以上、将来組合員になることが期待される当該組合としては、これが救済を求めようとすることはもとより至当」としたもの（弘南バス事件、青森地労委昭二六・八・七令集五・一二四）もある。これらについては、異論もあるが（斎藤・講座二巻三五七頁は双方とも反対、色川・講座二巻三九〇頁は後者につき疑問とされる）、積極に解すべきものであろう。

代理申立を許さないとして却下した事例（下津井電鉄事件、岡山地労委昭二四・八・一七令集一・一七〇）があるが、代理申立が許されないとした中労委通牒（昭二四・八・九中労委一文発五〇〇号中労委会長より各地労委会長宛）は、代理の名により乱訴が憂えられた当時の事情（労働委員会年報10二九頁参照）を反映していたと考えるべきで、これを拡張して機械的に運用すべきものではあるまい（同旨色川・講座二巻三九三頁）。

三　いわゆる被救済利益

（一）いわゆる被救済利益の考え方　以上みてきたとおり、申立人の問題は、申立人たりうるもの——通常の利害関係者——被救済利益——という関係で、被救済利益の存在ということと密接につながっているのである。いかなる利害関係があるか、という、以上みてきたような意味の被救済利益の形でなく、利害関係はあるにしても、そのうくるべき利益を何等かの形ですでに得ている、ないしは救済内容を実現している、または申立人みずから利益を処分した、という内容で申立人の問題の形として処理された事例が数多い。その基本となる考え方は【11】である。これは論理としてもまた一応の筋道としても間違っていない。しかし処理の仕方としては若干反省を要するのではなかろうか。

【11】「労働委員会が労働者の請求する救済の内容の全部又は一部を認容する命令を発するためには、使用者に不当労働行為を構成する事実の存在することを要求するばかりでなく、さらに労働委員会が命令を発しようとする際に現に被救済利益が存続していることを要件とするものである。そこで一旦使用者に不当労働行為の存在が認められる場合であつても、労働委員会が命令を発しようとするときまでに、使用者が不当労働行為をやめて労働者を原状に回復させたり、又は労働者の希望する損害賠償の額を支払つたりして被救済利益が消滅する場合や、使用者と労働者の間に将来に向つて解雇を争わない旨の和解がなされたり又は元の解雇を取消して新たに依願退職することの合意がなされたりして労働者自ら被救済利益の全部又は一部を処分したとみられ

るときは、労働委員会としては被救済利益の消滅又は処分の程度に応じて救済命令を発するに由なくなる」（東芝事件、中労委昭二五・八・四令集三・三四八、同旨東芝鶴見事件、神奈川地労委昭二五・五・一五令集二・三九六）。

(二)　裁定例における二つの流れ　取扱い例でも、これに積極的意義を認めるものと、それほど意義を認めないもの、との二つの大きな流れがあり、それぞれにも若干ずつニュアンスの差があつた。

(1)　積極的意義を認めるものには、退職手当等を異議なく受領することは民法上完全な合意退職であること（秋田協同印刷事件、秋田地労委昭二四・一一・二五令集一・一二六）、退職時から将来に向かつて退職の効果を争わないのであるから原職復帰という被救済利益は処分され喪失すること（東芝事件、中労委昭二五・八・四令集三・三五〇）、依願退職すれば取り消そうにも取消すべき解雇なく「解雇その他の不利益な取扱」に該当しないこと（電産岐阜事件、中労委昭二五・一一・二九令集三・二七〇）、等がある。

労働委員会のこのような形での処分の一つに対して

【12】「従つて原告等（労働者）と右会社との間には、右退職申出及びこれに応ずる退職金支払により、両者間に従来存在した解雇に関する争いをやめる旨の合意が成立したものと解さねばならない。そして被告委員会の本件各処分はいずれも原告等と会社間の右合意を理由とし、それにより原告等が解雇の不当を主張してその救済を求める権利及び利益を失なつたものとして前記の処分（棄却命令及び却下決定）をしたものであるから、被告委員会の本件各処分はこの点につき違法がないものというべきである」（東芝事件、東京地判昭二七・七・二二判決労民集三・三・二五三）。

とする判決がある。

(2)　積極的意味を認めないものには、「退職の意思表示はその真意でないこと、或は錯誤に基づくものと主張するなどその他特別の事情の存する限り救済を受ける利益をなお有する」（大阪市役所事件、大阪地労委昭二八・四・二二令集八・一七一・）、「職場排除の断乎たる意思表示に対して抵抗不能の立場にあつた、本件の如き場合に、退職金の受領に特別の意義を認めて申立人にかかる知識と留意を期待することは無理」（吉沢石灰事件、栃木地労委昭二八・一一・五令集九・五九）、「この一連の申立人の意思表示は、全く自由意思をはく奪せられ被申立人の強要に基づいた事は容易に推認しうる」（鳥取県教委事件、鳥取地労委昭二五・三・九令集二・五九）、等の考え方の上に立つ。この考え方にそつて労働委員会の命令を支持したものに【13】がある。

【13】「なるほど右Hの退職は、外形的には、その自発的なものの如くであるが、しかし、右Hの存在を嫌悪した原告会社が、右Hに対し、直接その身体に対し、弾圧を加えると共に強く退職を勧告し右Hを退職せざるを得ない立場に追い込んだ結果の現象にすぎず、合意解雇との形はとつているが、右Hの意思決定に、原告会社の行為が、前示のごとく、不当な影響を及ぼしているものとみざるを得ないのである。かかる場合においては、退職に関する形式的合意の存在をもつて、不当労働行為の成立を否定すべきでないことは明らかである」（北海小型タクシー事件、札幌地判昭三〇・五・一一・二七労民集一一・一・九五）。

(三) 審査手続中でしめるべき意味　ここでは数多く存するいわゆる被救済利益の判断についてのくわしい統一的論評は、差し控えざるをえないが、こうしてみてくると少くとも申立に関連してはつぎのことがいえるのではなかろうか。

従来、労働委員会の裁定のうち申立を認容しないものとしては、却下と棄却という二つの形式が用いられ、形式的には審問を経るか否かによつて、実質的には不当労働行為の成否そのものを判断するか否かによつて（不当労働行為の成否に関連のないいわゆる申立要件等および本案の成否に関連しているが一見して成立しない場合には却下）、区別すると考えられてきた。ところが、これらいわゆる被救済利益の存否の問題を判定しているものには、却下棄却の両形式が混在し、必ずしも統一されていた訳でもない。そのことと、以上の判例でみたように何をもつて被救済利益というかその意味が必ずしも明確ではないこと、から、労働委員会で慣用されているいわゆる被救済利益の問題の多くは、申立利益という意味での申立人ひいてはいわゆる申立要件の問題ではなく、実は救済を与えるに適当であるか否か、ないしはいかなる救済を与うべきか、の問題なのである。形式的にいわゆる被救済利益の有無というわば訴訟利益の形だけで、それを処理しようとした事件があるが、その点に若干の無理がみられるのではあるまいか（石井・労働法一七六頁は、「労働者が単に異議なく退職金を受領し或は失業保険金を受取つたという事実のみを以つて、当然に不当労働行為を争う意思なきものと推定すべきではない」とされる。）。

若干横道にそれるが、いわゆる被救済利益の法律上の問題は、解雇の承認という概念はいかなる法律的意味を有するか、一方的行為たる解雇の意思表示は相手方の承諾を条件として合意解約の申込を含んだものとして解釈すべきものかどうか、然りとすれば契約によつて訴権（申立権）を処分しうるか、然らずとすれば契約関係における信義誠実の原則に反するような結果をもたらすのではないか、合意そのものが無効となる場合もあるのではないか、等の相当困難な解釈上の問題を内在させている（後藤清・判例叢書労働法(6)七四—九三頁、村井久夫「命令を中心としてみた退職金受領と被救済利益」労委時報三五八号、石井＝萩沢・全集15二二四頁、雅叙園事件、東京地決昭二七・六・二七労民集三・二・一三三）。

労働委員会の取扱いとしては叙上のように申立自体の問題に接近して処理されてきた。そのような処理が適切な事件もあるが、多くは、それよりはむしろ以上のような法律的解釈をふまえたうえで、事実に即し救済を与うるに適当であるか、あるいはいかなる救済を与うべきか、に関して考慮さるべき要素なのである。【11】でいう不当労働行為の構成事実の存在以外の被救済利益の存続という要件は正に申立条件というよりは救済を与うるに適当であるか否かの問題であつたし、その趣旨も申立利益という形でありながら後段の部分はかかる場合の裁量（救済）のあり方を示しているのである。

四　申立の相手方

申立の相手方とされる使用者とは、不当労働行為の救済命令をうけて履行すべき者であり、最終的には罰則の適用をうけるべきものである。したがつて、不当労働行為の審査手続においては、被申立人として表示され、訴訟手続の類推からすれば、被告に当るべきものである。

一　使用者と具体的行為者

まず、使用者は不当労働行為の具体的行為者と区別されねばならないか、という問題がある。一致することは多いが、一致しない場合もあるので、問題が生ずる。具体的行為者がどの程度まで労働者の救済措置をなしうるか、使用者とされる者に具体的行為者の行為をどの程度帰責しうるか、という問題に関連するが、一応【14】の前段のようにいいうるであろう。

【14】「本件救済命令が原告会社のほか原告支店をもその相手方として発せられたものであることは当事者間に争いがない。ところで不当労働行為救済申立事件の被申立人が使用者であることは規則三二条二項の規定から明らかである。そして使用者が法人である場合、その相手方となりうるものが法人自体であることは疑いないが、そのほかに現実に不当労働行為をした行為者も相手方となりうるかどうかについては、議論の分れるところである。これをいずれに解するにしても、救済命令の相手方となるためには少くともそのものが私法上権利義務の主体となりうるものでなければならない。そうでなければ、これに対して救済命令を発すること自

体法律上無意味であるからである。ところが原告支店が法律上独立した権利義務の主体でないことは前に説明したとおりであるから、本件救済命令のうちこれに対して発せられた部分は、その相手方となりえないものを相手方とした違法があって当然無効である」（日通会津若松事件、福島地判昭三〇・一一・一一労民集六・六・八八七）。

【14】は後段において救済命令の相手方たりうるものは私法上の権利義務の主体たるべきものであるから支店に対して発せられた命令は無効という。しかし同判決はつづいて【15】のようにいう。

【15】「ところで原告会社は本訴において本件救済命令のうち原告支店に対する部分の取消をも請求しているものと解せられるから、原告会社に、右の部分の取消を求める法律上の利益があるかどうかを考えてみるに、本件救済命令のうち右の部分は当然無効であるけれども形式上はなお成立しているのであり、また原告支店は原告会社の組織の一部であって、これに対する法律行為の効力も最終的には原告会社自体に帰属するものであるから、原告会社はこの部分の取消を求める法律上の利益を有すると解する」（日通会津若松事件、【14】と同じ）。

支店は会社組織の一部であってこれに対する効力も最終的には会社に帰属するとすれば、救済命令の名宛人が支店であるが故に無効といわなくてよかったのではなかったろうか。換言すれば審査手続における被申立人は「救済命令の受命者となるためには少なくともそのものが私法上の権利義務の主体たりうるものでなければならぬ」と厳格に解して運用しなければならないほど形式的であってはならない性格のものであろう。したがって、本店支店の関係ではないが【16】のごとく、たとえ社長個人を名宛人（被申立人）とした場合でも会社自身が相手方となったものと解しうるし、支店を相手方と表示しても最終的には会社に帰属するものと解してよい性質のものだろう。

【16】「不当労働行為の申立においてその申立の相手方となるべき者が使用者であることは明らかである。そ

して右の使用者が会社である場合にはここにいう使用者とは会社そのものを指し、社長その他の個人が行為者である場合にもその「行為をした者」をいうのではない。しかして本件のように行為者たる社長個人が被申立人となりこれに対して救済命令がなされた場合においても、該救済命令はその本来の使用者たる会社に対してなされたものと解する」（山岡内燃機事件、大津地判昭二六・七・一七労民集二・四・四八三、同旨本件控訴審判決大阪高判昭二七・八・一五労民集三・四・三〇四、三沢基地事件、青森地決昭三一・二・一四労民集七・一・一〇三）。

ところで現実の命令の名宛人は右のような趣旨にとどまらない。【17】【18】等は使用者を必ずしも右のように考えない。

【17】「まず、被申立人AP通信社東京支局長は、なんらAP通信社を代表する権限がないから、本件申立は不適法であると抗弁するので、この点について判断する。アメリカ法人としてのAP通信社の定款上代表権は総支配人にある旨が定められていても、総支配人の個別的授権以外に、各支局長に支局の業務について、包括的な代理権を与えることが許されない趣旨とは解し得ないだけでなく却つてあらゆる支局の業務としての法律行為を本国にある総支配人が直接代表してしなければならないとすることは、実際上業務の遂行を不可能にすることになろう。現に本件における被申立人の代理人の委任状も前記東京支局長名義で提出されていることは、被申立人側で同支局長の代理権を認めている証左であるということができる。したがつて、同支局長は、いわゆる支配人と同様日本における主たる業務担当者として、支局業務について、裁判上、裁判外の包括的な代理権を有すると認めるのを相当とし、組織規定上人事その他重要な事項については、総支配人の指揮決定を仰ぐことになつているとしてもそれは内部的な関係に止まり、外部に対する同支局長の権限を制限するものと解すべきでない。更に、仮りに本国法上支局長にかかる私法上の権限を認める余地がないとしても、いやしくも日本において労働者を使用する事業場を有する者は、日本の労働行政に服する関係においては、日本法制上事業場の責任者によつて代表され、したがつて、又労働委員会における手続に関しても、この方式によつて使用者として取扱われることを認めなければならない。以上の理由によつて被申立人の抗弁は採用することがで

きない」（AP通信社事件、東京地労委昭三〇・三・一七命集一二・一一四）。

【18】「被申立人〔営業所長〕……は……全く会社側の立場において秋田支店の方針に即し、みずからの権限に基づいて臨時従業員たる申立人を解雇したものであり、その動機と執行との面においては秋田支店長のなした解雇と何等異なるところはない」（日通秋田事件、秋田地労委昭二五・八・二九命集三・二五九）。

労働委員会の取扱例では【16】の判決のように厳格に解した事例も存する一方【17】【18】の如く取り扱つた事例も数多いのである。柳川判事、高島判事は「不当労働行為が事実行為によつて行なわれる場合には、現実に、その行為をなしたもの、又は、なしつつある者が申立の相手方となりうることはいうまでもない」として【16】の判決を批判されている（柳川＝高島・争訟三二、三三頁、その他多くの説はおおむね【16】の判旨に賛成である。石井＝萩沢・全集15、六二六頁、色川・講座二巻三九頁等）。これを要するに、タフト・ハートレイ法二条の(2)における使用者の定義、すなわち「使用者（employer）とは、直接間接に使用者の代理人として行動するすべての者を含む。但し（略）」というような規定を欠き、かつ、わが国風の民事訴訟の実務の類推から問題を考えがちなためおこる若干の混乱がみられるのであるが、いずれにせよ、合目的的に処理さるべき問題である。

二　主体の消滅変更

この問題は、いわゆる偽装解散の問題として、NLRBにおいてもまたわが国においても、主として救済内容ないし不当労働行為の成否に関連のある、きわめてむずかしい問題をふくんだものとして、種々論議されている。ここでは、被申立人つまり命令の名宛人という観点から検討してみる。

理論的には、変更消滅の程度により、主体の完全消滅、部分消滅、変更消滅の内容により、主体の実質的消滅、形式的消滅、時間的には、申立前、審査中、命令後、その仕方により、不当労働行為の成否ないし救済内容と関連する場合とそれらと無関係の場合、等の区分が可能である。

ここでは、かりに主体の実質的消滅と形式的消滅という二つの区分により、いわゆる偽装解散等の場合をもふくめて一応の整理を試みた。

（一）主体の実質的消滅（主体の消滅およびその偽装）　ここで経営主体が実質的に消滅する場合とは、経営主体が実質上事業をとりやめる場合で、もし事業が形をかえて別の主体で行なわれる場合は、つぎの主体の形式的消滅とする。

(1)　事業を完全にとりやめたとき、自然人の場合はもちろん、法人の場合も形式的には残存すること多く、そうでなくても清算法人として残るのが普通である。そこでこのような場合、不当労働行為の被申立人とされても、一般的には、「ここに万策つき百貨店営業を廃止するのやむなきに立至り同年七月二五日百貨店営業の閉鎖並びに従業員全員の即時解雇を宣言」したものと認められる限り「本件解雇が不当労働行為を構成せずしかも既に復帰すべき職場がない以上」申立人の請求は認容しえない（王子百貨店事件、東京地労委昭二九・七・二八令集一一・一六六、同旨丸大撚糸事件、中労委昭三四・一二・一六令集二〇・四三四）となるが、閉鎖そのものが不当労働行為の意図に基づく場合は問題である。もし

【19】「ところで、企業は資本と労働力を包摂し、労働力を離れては存立し得ないものであるから、企業の廃止は資本の解体のみならず、その労働力の処分を必然的に伴うのであるが、かかる労働力の担い手としての労働者にとつては、その企業が自己並びに家族の社会生活を可能ならしめる母胎であり、その労働者としての地

位向上のためには、労働組合を組織し団結の力によつて使用者と対等の立場で交渉し団体行動に訴えるところのいわゆる団結権が憲法、労働法において保障せられている。労働者の自覚の下に組織された労働組合の健全な発展を保護することは現在の社会的経済的秩序の要請といわなければならない。従つて企業主体の有する企業廃止の自由（憲法二二条の職業選択の自由、商法四〇四条二号）と雖も、今日においては絶対無制約のものではなく、かかる社会的秩序の要請する制約に当然服さなければならない。企業廃止の自由は濫用されてはならないのである（憲法一二条民法一条三項）。殊に企業別組合の形態のもとにおいては会社の解散は従業員の解雇並びに組合の解体消滅を伴うから企業能力を有する会社が、労働組合の合法的組織活動を弾圧し全組合員を解雇することによつて壊滅させることを決定的原因として企業を廃止することは、すでに企業廃止の自由の濫用として許されないところであり、現在の社会的秩序に著しく背反するものといわなければならない。このようなわけで、本件解散決議は憲法二八条、労組法七条一号、三号に違反し、従つて企業廃止の自由の濫用であると同時に公序良俗に違反するものとして無効であるといわなければならない」（太田鉄工所事件、大阪地判昭三一・一二・一労民集七・六・九八六）という考え方がなりたちうるとすれば、たとえ実質的に消滅したにせよ、形式的に消滅し去つたと否とにかかわりなく、労働委員会命令の名宛人として解散前の法人が適当である、ということになる。その場合の救済内容としては、被解雇者の原職復帰と同時に事業の再開をも命じなければ意味がないとすれば、そのようなことを事実上の措置として清算会社か清算後の特定個人に命ずることになる。そのようなことが可能であるか否かははなはだ疑問である（横井芳弘「季刊」二三号は判旨そのものには賛成、柳川外・全訂下一三六五頁は判旨そのものにも疑問）。

(2)　【19】の基礎には、労働組合を排除し終えたならば事業を再開するという推定があつたのではなかろうか。そうだとするとやや不十分の嫌いはあるが「被申請人は専ら従業員の労働組合結成を嫌い従業員が労働組合を結成しようとしたことを動機として工場閉鎖を仮装し本件全員解雇の挙にで…事業継続不能とは考え得ない」(尾三鉄工所事件、名古屋地決昭二六・一〇・一一労民集二・四・四四六)としてその仮装性(労働運動をきらつての措置でその目的が果されれば元どおりとする)を問題にせざるをえまい(もつとはつきり事業の廃止自体の偽装性を認めたものとしては、石巻陸運事件、宮城地労委昭二六・一〇・一二命集五・七三がある)。

されればこそ、一部閉鎖の場合は様相がやや異なつてくるが、労働運動を嫌つての措置の場合、これを偽装に近いものと推定して救済する場合が多いのである。たとえば、「なるほど、右解雇当時の会社経営の内容は相当な不振状態にあり、一部人員の整理を行う等の方法を以つて企業の再建を図る必要のあつたことはさきに認めた通りであるが、その全員を解雇して事業を一旦閉鎖しなければならない程度に窮迫していたものとは認め難いのみならず右解雇に当りF工場長やN検査課長の如く当初より解雇の意思のない者に対しても一応解雇を申渡した上、解雇予告手当を手交する等によつて解雇を仮装して全員解雇の形を整えたり、右解雇後も引続き事業を継続し逐次一部の元従業員を再採用してその拡充を図つている等の事実に鑑み」(福井計器事件、福井地労委昭三一・一一・三〇命集一五・六三)ということになる(井上繊維事件、奈良地労委昭二七・一〇・二三命集七・四二も結局叙上の趣旨であろうが、明確には認定できていない)。

(3)　しかし、そうでないときには、たとえ不当労働行為とされても「同人の所属していた……は……をもつて施設閉鎖となり、当該施設の従業員全員が解雇されることになつたことが認められ、組合もこの事実を争つていな」くて、閉鎖が当該事件後の場合(キャンプ東京事件、中労委昭三三・一二・一七命集一八・三六五)には救済が限定されてくるし、「問題の解雇の後に、会社が営業不振のためその事業を廃止または休止して全従業員を解雇してしまつており当初の解雇がなされずに被解雇者がそのまま従業員たる地位にとどまつていたとしても、後の全員解雇によつて他の従業員とともに当然解雇されていたものと認められる如き場合には、その救済命令の内容は、被解雇者が、後の全員解雇の日まで従業員たる地位にあつたものとして取扱うべきことを使用者に命ずるをもつて足り、かつその限度にとどまるべきであろう」（淀川製鋼所事件、大阪高判昭三五・一・二一労民集一一・一・二二）ということになる。

(4)　いずれにせよ一部閉鎖等の場合の被申立人自体としては問題が少いが、完全消滅のとき、しかも、解散等が労働組合を排除したうえで事業を継続する偽装でもないとした場合、前記【19】の判決の類推からの結論が困難だとすれば、いかなる救済命令が誰に対して可能と考えられようか。この場合偽装でないことの認定がどうしても相対的たらざるをえないことから、清算法人等に対し、条件付（たとえば再開の場合の優先雇用）救済命令が可能かどうかの検討の余地はあろうが、多くの場合救済命令の名宛人自体がなくなるか、救済能力に欠けているとみざるをえまい。ただ、申し立てられ審査を行なう過程では、救済が可能であるか否か、偽装であるか否か、がはつきり判らない場合が多いのであるから、一見被申立人の不存在等がはつきりしない限り、それらの点につき審問を経、検討を加えられたうえで処理されることとなる。

(二)　主体の形式的消滅（主体の変更およびその偽装）　形式上経営主体が不存在となりながら、実質的には別の主体の形で事業が継続される場合で、不存在をよそおいながら実は存在する場合とあわせて偽装解散とよばれる場合が多い。しかし、いわゆる偽装の場合にも、まず原則的な考え方の基礎として、偽装ではない通常の経営主体の変更について、一応の検討を加える必要がある。

(1)　労働委員会における被申立人の変更についても、一応民訴における訴訟上の当然承継の原因となるべき事由のうち、当事者の死亡(民訴法二〇八条)、法人その他の団体の合併(二〇九条)、破産宣告又は破産解止(三二四条五条)等の場合の考え方、に準じて処理されて然るべき場合が多かろう。

右のうち、法人その他の団体の合併については、裁判所の判例でも「およそ会社の合併の場合においては、消滅する会社の一切の権利義務は存続する会社に包括承継せらるべきものであるから、消滅会社とその従業員との間の雇用関係も当然に存続会社に承継せられ」(両備バス事件、岡山地判昭三〇・一・二九労民集六・一・三〇)、さらには「合併により当然B会社の従業員に対する雇用関係に基づく債権債務を承継した」と認められるので右不採用は「承継した雇用関係に基づいて解雇したものと解すべき」(同和火災事件、大阪地判昭二四・五・一七労働資料六・四四)と考えられている。このようなとき承継をうけたものが、申立前でも審査中でも被申立人たるべきこと当然であろう。また、かりに消滅した会社宛に命令がだされたとしても、合併後の会社宛にだされたものと解すべき場合が多い、と解される。ただ合併後の新会社が行政上の責任を負うべき限度として、事業の特殊事情を考慮して「何千何万という多数の労働者を包容する大企業ならば或はそうであろうが、小企業または労働者の個人的性能を重んずる新聞企業にあつては、労働契約は概ね各個々の労働者と使用者のあいだの信頼関係を基礎とすると解される。従つてそうした労働契約関係は商法一〇三条により合併会社に当然承継されるとはいえない」(京日事件、京都地労委昭二五・三・三一命集二・一一七)とするものもある。また命令交付後の会社の合併については後出【65】がある。この判決では合併会社が責を負うべき旨を正面からいつていないけれども、本件に関係した緊急命令事件の三つの決定(勝光山鉱業所事件、広島地決昭二八・一二・二一労行資三・一八三、広島地決昭三〇・一二・二二八労行資三・一九二、広島高決昭三〇・六・一四労行資四・二二五）によれば、右の趣旨が明瞭である。すなわち、第一の決定で誤まつて合併前の会社を名宛人とし、これを第二の決定で取り消し、合併後の会社を被申立人とする第三の決定が行なわれているのである。

(2)　問題になるのは営業譲渡またはこれに近い契約による経営者の交替である。形式的には「営業譲渡の場合には、営業組織体即ち営業財産、得意先、営業の秘訣などが一個の債権契約で移転しうるも営業財産を構成する各債権債務については個別的に権利の移転又は債務の引受を要するものと考えられるから、ひとり雇用関係についてのみ当然に承継すると解することはできない」（両備バス事件、岡山地判昭三〇・一・二九労民集六・一・三〇、同旨同事件、広島高岡山支判昭三〇・六・二〇労民集六・三・三五九）のようにいいうるであろう。

しかし、契約内容または交替の実体によつては、当事者ひいては命令の名宛人たりうること当然であり、「被申立人会社が法人格を有し、件外有限会社Hの企業の一部包括承継し同会社の従業員一名の雇用関係をも承継し、現にその事業を経営する限り、正当な当事者」（川崎原料更生所事件、神奈川地労委昭二九・九・二二命集一一・二三一）であり、また

【20】「右両病院の建物、設備、器具、什器一切及び右両院の全職員（但し、申請人については争がある）を現職、現給のまま『東京支部』の管理に移し、且つ、両病院を合して、東京都済生会中央病院と称するにいたつた」のは「有体、無体の財産（物的要素）及び労働者（人的要素）の有機的統一体たる経営組織は解体せられることなく、その同一性を維持しつつ存続し、単にその経営を指揮、管理する経営主体が交替したにとどまると解すべきである。かかる場合の法律関係を考えると、経済的には、経営組織が包括的に新経営主体に承

継せられるのであるから、法律的にも、旧使用者との労働関係がそのまま新使用者に包括的に当然承継せられたとみるのが相当である」（済生会事件、東京地決昭二五・七・六労民集一・四・六四六）。

ということになる。右の事件では、労働関係の大部分の譲渡が約束されながら、組合活動や組合加入を理由として、再雇用ないし個別的労働関係の移転を拒む場合、解雇と同視すべきことをも指摘している。すなわち、労働委員会としては、譲受人を名宛人として、解雇についての原職復帰、ないしは雇入れ命令を発することとなる。

(3)　このような場合、被申立人とすべき者は旧経営主体であるか新経営主体であるのか、さらに審査手続中においては被申立人の交替ないしは追加を要するのか、要するとすればいかなる形（被申立人の申立、申立人の申出、労働委員会の審査指揮）で行なわるべきかが問題となろう。

実は、この辺のところの手続規定を全く欠いているので、条理によりまた事例のつみ重ねによって、合理的に運用さるべきであろうが、一応つぎのことがいえるのではないか、と考える。

申立前の被申立人たるべきものの主体の変更については、申立人としては両者を表示する方が得策の場合が多かろう。被申立人としては調査段階で両者の契約内容を明らかにして労働委員会の指揮を求むべきである。委員会としては、当事者が積極的にその間の事情を明らかにしない場合でも、調査または審問の手続中で、かりに救済命令がだされるとすれば誰を名宛人になすべきか、という観点から審査上の相当の指示を与うべきものであろう。その結果の一つについては全く無意義ということになれば却下すべきこととなる。審査中の経営者の変更についてもほぼ同様である。交替の結果新たな被申立人が追加されることになる場合も生ずるが認むべきであろう。審査終了後命令を発するまでの間の経営者の変更は、民訴法二〇一条一項のような規定がないのでむずかしい問題を生ぜしめるが、そのことを労働委員会が知つた場合は審問再開の理由となろう。

(4)　具体的事件をみると、旧経営主体新経営主体双方に救済措置を期待するもの、新経営主体のみに責を帰するもの、旧経営主体にのみ責を帰しているもの、にわかれ、はなはだバライエティにとむ。不当労働行為を行なうためあるいは救済命令を免れるために経営者の変更が行なわれる場合が多く、新旧両経営者に命令する必要のある事件も考えられ、さらにはいずれに命令するのが適当か一見しただけでは不明の場合もあるのである。

雇用関係のみを特に除外して映画館とその営業の賃貸借契約をして組合員を排除した事件につき「右解雇通知は廃業を理由としているけれどもその真意は申請人組合員が団結して前記主張を貫徹しようとしたのに対抗して為されたもので、労組法一一条(現行法七条)違反……結局被申請人A（旧経営者）のした解雇通知は一応無効……そうすれば、被申請人Aと申請人組合員との間には従来通りの雇用契約はまだ存続していることとなり、被申請人間（新旧両経営者間）の賃貸借契約亦これが為影響を免れない結果となる」(広島オリオン座事件、広島地判昭二四・四・二労働資料四・八七)として、新旧両経営者にそれぞれ作為・不作為を命じた判決(労働委員会命令においても同様なことが考えられる)があり、新旧経営（ないしは経営者）の同一性を問題とし「企業そのものの実体が変ることなく、企業がその同一性を失わないで、単に経営名義人ないしその主体の交替にとどまるものと認められる場合には、労働者が使用者に対するというよりも、むしろ企業そのものに対して労務に服しているものと考えられるものであるから、労働関係は労働者に特に就業拒否の意思なき限り、新たな経営者に承継されるものと解すべき」(福岡観光ホテル事件、福岡地労委昭二七・六・五命集六・三九)として新経営者のみを命令の名宛人としたものもある。これらとはやや考え方を異にし、一部譲渡をうけた経営者について「同会社は申立人両名に対する本件懲戒処分を行なつたA会社(旧経営者)とは、全然別個の株式会社であるから、本件不当労働行為の当事者でない」として、旧経営者についてのみ命令した事件(弥栄自動車事件、京都地労委昭三三・一・二九命集一八・七六)もある。これは理論的にはやや疑問があるが、前例(広島オリオン座事件、福岡観光ホテル事件)が賃貸借契約ないしは主体の交替そのものが不当労働行為の一環として行なわれたものであるのに対し、不当労働行為の成否ないし救済措置とは無関係な全く営業上の事由にもとづく点の相異はある。また、「被申立人会社は……日付(事件後—筆者注)経営委任契約によつて新聞発行に伴う編集広告販売事業の経営をT社に委任し被申立人会社とT社との間で協議の調つた社員をT社の従業員として引継ぎ、右期日をもつてその事業場を閉鎖し」(夕刊ひろしま事件、広島地労委昭二五・五・三〇命集二・二〇三)た場合、旧経営主体にのみ、引渡すまでの保障と引渡後の均等取扱を命じた事例もある。前記弥栄自動車事件と同様な考え方に立つ事例であろうか。

(5)　この点に関連して、不当労働行為の責を免れるためにないしは不当労働行為を行なうために、経営の一部を別の主体で(たとえば下請ないしは内職等)行なわせることもあり(寺内機針事件、徳島地労委昭三一・四・二五命集一四・三八および加賀屋商店事件、徳島地判昭三一・五・二労民集七・三・四八一はいずれも使用者のかかる措置を認めていない)、救済措置と営業自由の衝突ないしは法人組織の乱用の問題として前記【19】とともに今後なお検討を要するところである。

典型的な偽装としては、形の上では営業譲渡等の措置をとり新しい経営者を作ったようによそおいながら、実は旧主体で依然として事業を行なおうとするもので、旧経営主体が被申立人とされる。しかし新主体をも名宛人として考えうる場合もあろう（富士染工事件、京都地労委昭三二・四・二六命集一六・五八は、形式上新経営主体がなした解雇を譲渡そのものが偽装であるとして旧経営主体にのみ命令しているが、新経営主体に対する命令の可能性をも考えさせる）。

三　いわゆる第三者

（一）　第三者の認定　一見労使関係があるようにみえながら、形式的（法律的）に雇用関係が存在しない場合に、被申立人たりうるものはいかに考うべきか、さらにはいわゆる第三者の不当労働行為と称されるものについて、そのいわゆる第三者も被申立人たりうるか、という問題がある。純すいの第三者が不当労働行為をすることは想定しえても実際には余り起らない。その場合は、第三者労組間の民事刑事の問題は生ずるとしても、そのような第三者を不当労働行為の救済手続の相手方とはできないといいうるであろうし（吾妻・概論一六九頁、和田＝吾妻・註解四七一頁）、現実に起り、かつ問題になるのは第三者とはいえないような関係にあるものについてである。

【21】　二（株式会社）仙都（劇場）は本件映画館の建物の所有者ではあるが、その経営者ではない。建物の所有者たる関係から経営にも関係あるように見えるところもあるが、経営自体には何等の関係をも有しないのである。従つて又従業員に対しては使用者たる関係を持つものではないのである。仙都は一時昭和三五年五月以降は、みずからこれを経営する意図の下に、その代表取締役Iが、三月二八日従業員に対して述べた言辞は、不当も甚だしいものであり、その結果は遂に組合の解散にまで導いたのであるから、五月以降仙都が現実に経営者となり従業員に対して使用者たる立場に立ったならば、当然不当労働行為として問題とせらるべきもので

あつたと思う。然るに本件においては仙都は遂に自営することなく、再び大映興行において、その経営を継続することとなつたのであるから、仙都は使用者たる機会を持つに至らなかつたのである。不当労働行為は使用者の責任を問うものであつて、使用者以外の者にこの責任を負わしめるものではない。従つて使用者にあらざる仙都は本件不当労働行為事件の当事者適格を有しないものといわなければならない。Ｉは仙都の代表取締役たるに止り、大映興行とは、何等の関係を有するものでない。従つて右Ｉの言動が大映興行をして責任を負わしむべき場合は両者の間に通謀の事実があるか、又は大映興行にＩの言動を利用する意思の存する場合に限るものと、いわなければならないのであるが、本件においてはかかる関係は全く認定せられないのである。三月二八日の劇場事務室における右Ｉの訓示については、Ｗ支配人は、そこに居合せたに過ぎないのであり、また四月四日の右事務室におけるＴとＩの会見においては、Ｗ支配人が、そこに居合せたことは当然のことであるが両人の話がＷに聞きとれたか否かさえも明瞭でないのである。これを要するにＩの言動と大映興行との間には、何等の関係もないのであつて、従つて又前者の言動の責任を後者に負わしめることは到底できないこと、といわなければならない」（仙都劇場事件、中労委昭三一・五・九令集一四・二二一）。

不当労働行為と認められる場合に、経営者の内部事情だけで、何らの救済も与えられないことになり、結論にはやや疑問が残るが、使用者とされた者に不当労働行為の帰責すべき条件を明示した箇所は注目に値いする点である。同じような経営形態で積極に結論した【22】では、細かい事実関係から雇用関係あり、したがつて不当労働行為事件の使用者たるべきもの、と判断しているが、必ずしも雇用関係の存否のみがそれを決定する唯一の条件ではあるまい。

【22】「〔Ｍ〕東宝〔映画館の名称〕がＭＴ株式会社〔被申立人とされた者が代表取締役〕の所有であることは、当事者間に争いがない。ＭＴ会社が東宝を経営していないことは被申立人の自供するところであるので、

更に被申立人の主張する如く、果してH支配人がMT会社から東宝を借館、経営しているか、もしくは被申立人が経営しているか、について判断するに、当委員会の職権調査の結果明らかになつたところによれば、申立人も当初東宝の従業員が被申立人を社長と呼んでいるところから、東宝を会社組織であるかの如く誤認したこともあつたが、会社組織でなく個人経営であり、その経営者が被申立人である事実は、1……10……結局東宝の経営者は被申立人であつて、当事者間に雇用契約があるものと認められる」（村上東宝事件、新潟地労委昭三一・一一・一九命集一四・二六）。

(二) その可能性　ところで、解雇等の法律行為について、その救済措置として復職等を命ずる場合は、雇用関係について権限を有する者――すでにみたとおり一般的には解雇等を行なつた会社自体――が被申立人たるべきであろうが、その他の不当労働行為たる事実行為の救済については、必ずしもしかく考える必要がない、という観点に立てば、不当労働行為を行なつたいわゆる第三者も被申立人として想定しうる場合がある。【23】は間接的にそのことを示唆した判例というべきであろうか。

【23】「市場会社等は申請人等の争議行為自体ないしは右争議により市場内の取引が不円滑となつたこと（本件に現われた疎明の限度においては合同労組の争議の手段が第三者に対しこれによる不便を忍受することが期待できない程度のものであつたと認めるに足りる疎明はない）又は合同労組が市場会社ないしは問屋に対し労働基準法違反を点検する運動をしたことを嫌悪して、申請人の組合活動を封ずるために被申請人に申請人の解雇を要求し、その実現をはかるため、被申請人をして申請人を解雇せざるを得ないように経済的圧迫を加えたため、被申請人が申請人を解雇したものと認めるのが相当である。……かかる一連の事態から見れば、市場会社、問屋等の組織された意図は不当労働行為の意図で被申請人に対し、申請人を解雇せざるを得ないように経済的圧迫を加え、その結果被申請人が申請人を解雇することにより、右組織された意図の実現を見るというべきであるから、右の一連の行為は不当労働行為を構成し、……ところが本件においては被申請人が申請人を解

雇した意図は自己の経営の保持にあつて、みずから労働者の団結権の侵害を企図してなしたものではなく、たとえ被申請人が申請人を解雇することにより他人の不当労働行為の実現に寄与することの認識があり、その限度において本件解雇が不当労働行為の一環を構成し、被申請人が労働委員会の救済命令の名宛人の一人となるべきものであるとしても、被申請人が申請人を解雇しないで自己の経営を維持できたと認めることのできない本件においては、被申請人が自己の経営の維持を望み、申請人を解雇したことをもつて、社会的に不相当な解雇ということはできず、従つて解雇権の濫用には該当しないものと考えられる」（山恵木材事件、東京地判昭三三・一二・二四労民集九・六・九八四）。

この判決の筋書によれば、いろんな想像図がえがけるのであるが、その一つとしてつぎのようなことも想定しうる。つまり、労働委員会の救済手続においては、もう一人の名宛人（市場会社等）を加えておくことができ、そうすれば、労働委員会は第一の名宛人山恵木材に原職復帰を命じ、同時に第二の名宛人には、不当労働行為たる解雇を迫る組織された意図をなくすようにか、あるいは経済的圧迫を加える等のことをしないような具体的措置を伴なう、救済命令を発することができ、本件の如き事情にあればそうなつてはじめて社会的に妥当な措置というべきである、そうであればこそ裁判所は第一の名宛人だけに解雇権の濫用を問うことはしなかつたのである、と。

(三)　要約　以上(一)からこれまでを要約すると、不当労働行為の申立の相手方たるべきものは、不当労働行為の法律上・事実上の行為者（場合によつてはそれを引きついだ者）で被害をうけた労働者労働組合に救済措置をなす権能を有するもの——通常は当該経営主体——であるが、救済命令の内容を訴訟上の訴訟利益の如く狭く解することなく事実上の措置として広く考えてくるに従つて、これに相当の幅を認められてよい、ということになつてくる。

四　駐留軍

特殊な問題として駐留軍労働者における使用者の問題がある。駐留軍は漸減しやがて問題はなくなるであろうが、考え方の筋は一般労働者の特殊ケースに応用しうる面もある。

(一)　間接雇用　まずいわゆる間接雇用労働者については【24】の考え方が多数の裁定例判例によつて確立したとみてよいだろう。

【24】「原告は仮りに本件解雇が不当労働行為であるとしても、それは、駐留軍が使用者として不当労働行為をなしたにすぎないから、「日本国とアメリカ合衆国との間の安全保障条約第三条に基く行政協定に伴う民事特別法」一条により国に損害賠償責任があるは格別として右の違法行為による労働法上の不当労働行為責任が国にあるいわれはないと主張する。しかしながら成立に争いのない乙第一号証の三三（日米労務基本契約）の条項によれば、駐留軍労務者は駐留軍を事実上の使用者として、その労務に服してはいるが、法律上の雇用主は、日本国であつて、ただその雇入及び解雇については、すべて駐留軍の決するところに委ねることを日本国と軍との間で契約しているに過ぎないことが認められる。従つて労務者の解雇に当り、駐留軍側が、不当労働行為の意図をもつて解雇した以上、国は雇用契約の当事者、即ち使用者としてみずからなした場合と同様に取扱われ　その責任を免れることはできないもの、と解するのが相当であり、この点に関する原告の主張は失当である。更に原告は駐留軍のなした不当労働行為につき国がその責任を負うべきものと解しても、駐留軍の施設管理権のため被解雇者の復職は、殆ど不能に近く、救済命令をうけた国（又はその機関）もその実効性を保障することが、できないのであつて、かかる現状からすれば、右の見解は実情に適せず失当であると主張するのであるが、国として復職せしむるに困難があるとはいえ法律上不能とは認め難いのである

から、この一事をもつて、右見解を失当と認むべきいわれはないし、また裁判所は、駐留軍においても行政協定一六条、一二条五項に基いて日本国の裁判所によつて維持された労働委員会の救済命令を尊重し、復職に困難をなからしめることを期待するものである」（米軍大阪日赤事件、東京地判昭三一・一〇・一七労民集七・五・九一二）。

しかし、駐留軍労務者の特殊性に鑑がみ軍のなした行動についての使用者（県知事）の責任としては【25】の如く限定されてくる。

【25】「一般に駐留軍に関する間接雇用の労務関係における不当労働行為につき、直接には軍のなしたところではあつても各都道府県知事がその責任を負うべきことは、既に当委員会も数次にわたつて判示したところであるが、同時に間接雇用という特殊な労務関係を考慮するならば、あらゆる場合に軍のなした行為について労組法上各都道府県知事が責任を負うとすることはできず、一般の使用者の場合に比して限定的に解されるのもまたやむをえないことと考えられる。ところで本件の場合、前記認定の如き軍のとつた行為には、多少の批議を免れない点があるとしても、本件警察庁長官文書配布に至るまでの経過及びその配布の事情等の諸経緯に鑑みると、このような軍の行為についてまで宮城県知事に責任ありとし、同人にあてて救済命令を発するのは、いかに同人が労務の管理につき国の事務を委任されたものだとしても、無理だといわざるをえない」（宮城駐留軍事件、三一・中労委昭一・一二一命令集一四・二一四）。

間接雇用労働者の実質的使用者は駐留軍であり、これの責任を負うのが形式的使用者たる県知事で、その責任範囲も限定されるとすれば、法律上はともかく、事実上可能なことであるかどうかの点に対する考慮が再検討されてもよい問題として残つている。

(二)　直接雇用　問題のあるのは駐留軍直接雇用労働者についてである。労働委員会の取扱いにおいては、若干の曲折を経た末、雇用の権限を有する者ないしは団体代表者を被申立人として認める立場になつてきていた。これに対し判例は労働委員会の処罰通知に対し【26】のように消極的である。

【26】「被審人〔トウキョウ・シビリアン・オープン・メス〕は米合衆国の陸軍規則に準拠して設立された同規則にいうところの歳出外資金による機関であるが……右事実によれば、米合衆国においては被審人はその国家機関として取り扱われていると認むべきである。……右のような外国の国家機関に対するわが国の裁判所の裁判権の有無はその外国自体に対する裁判権の有無に帰着する。ところで国家は一般に外国の裁判権に服さず、ただそれが自発的に進んで外国裁判所の裁判権に服する場合を例外とし、この例外は条約によつて定めるか、又は特定の訴訟事件について当該国家が特定の外国に対しその裁判権に服する旨を表示したような場合に認むべきである。然るに日本国の民事裁判権に関する日本国と米合衆国との間の安全保障条約三条に基づく行政協定一八条を合衆国自体ないしその機関が日本国の裁判権に服することを承認した趣旨に解することはできないし、その他その趣旨の条約又は明示の表示を認むべきものはない」（ユニオンクラブ事件、東京地決昭三二・四・二〇労民集八・四・四一九、同旨三沢基地事件、青森地決昭三一・二・一四労民集七・一・一〇三）。

被申立人としての問題よりも、基本的には米軍、軍属、その他の施設で直接雇用される労働者が、どの程度まで具体的に労働三権の保護をうけらるべきか、という問題になつてくる。なお積極的に結論した【27】の仮処分判決は、クラブ、食堂に従事する直接雇用労働者は、間接雇用の実際上の使用者が合衆国軍隊と観念されるのに対し、将校クラブ自体または利用する下士官兵個々人に実質上雇用されているものとしたうえで、つぎのようにいう。

【27】「右将校クラブや下士官兵等は、たまたま労務連絡士官たる職務にある被申請人リンカン・シー・マッ

ケイに、日本人労務者の雇入・解雇に関する事務を委任しているものと認めるのが相当である。……右〔マッケイの解雇の〕意思表示自体は被申請人が合衆国空軍の士官であり、かつ、板付空軍基地における労務連絡士官たる職責を有すること、その勤務時間中になされたものであるということから軍務遂行行為なるが如き衣裳をまとうものであるが、未だこれらの事実によって決定すべきものではなく、その雇用契約の実質、すなわちその法律関係の実体によって決定せらるべきものである。……申請人等は……全く軍務に関係のない業務に従事し……その給与も軍と独立の会計を有する歳出外資金による機関の収益又は下士官兵等の拠金等によって賄われているのであるから、その雇用関係は駐留軍と関係なき私人のそれと何等異らず」（板付基地事件、福岡地判昭三一・三・二三労民集七・二・三五一）。

五　日雇労働者

もう一つの特殊な問題としては、失業対策事業に雇用される日雇労働者の使用者がある。判例はいずれも団交権の有無についてふれているが、これもほぼ「事業主体たる地方公共団体」に被申立人たることが認められたといえるであろう。しかしその責任を負うべき範囲については問題が残っており、また事業主体ではなく予算上ないしは政策上の責任をもつ都道府県、さらには国についても問題であろうが、団体交渉権について否定的な最高裁判例に対しては批判もありまた肯定的判例もでている（最判昭二八・五・二一刑集七・五・一一一五、最判昭二九・六・二四刑集八・六・九五一は否定的、これに対し三重自由労組事件、津地判昭三一・三・二は肯定的、この点に関する論文、谷口正孝「季刊」九号、荒木誠之「季刊」二三号、花見「法協雑誌」七三巻一号）。

【28】　「失対事業のため、公共職業安定所から失業者として紹介をうけて地方公共団体が雇用した者で法定の除外事由のない者の職は地方公務員法三条三項六号に規定する地方公務員特別職であり、これらに対しては労組法の適用が排除されないことは地方公務員法五八条の規定の趣旨に照して明白である。尤も失対労働者の賃金の額は労働大臣の定めるところであり、事業主体はこれについて最終的決定権を有しない（緊急失対法一

○条、同法施行令五条三号）のであるから、事業主体がこの故に賃金の額に関する団体交渉を拒否することが正当であるという場合が多いであろうが、かかる団体交渉における制約は事業主体側に存するところの事由であつて、これをもつて直ちに失対労働者に対する労組法七条の規定の適用を排除するものとは認めえない」（夕張市役所事件、中労委昭二八・二・一八命令集八・二〇五）。

【29】「市は地方公共団体として緊急失業対策法に基づいて一定の国庫補助をうけて失業対策事業を営んでいるものであるから法令の範囲内において一定の失業者を雇い入れ上記事業に就かせ之に賃金を支給する義務を負担していること、換言すれば失業者である日雇労務者は法定の手続を経て市の営む失業救済事業に就労して賃金を受ける権利をもつていることと、労働組合法のもつ社会的性格とを併わせ考えるとき、判示労働組合の団体交渉権を全面的に否定し去ることには躊躇を感ぜざるをえない。もつともその団体交渉権が右に述べたような失業救済事業の特殊性から内容的に著しい制限をうけることは否めないところであるけれども……組合はその組合員である労働者の利益を擁護するために、使用者である市理事者に対し、組合の名において交渉する権利、即ち憲法二八条の保障する労働組合法上の団交権を有するものと解すべきであろう」（舞鶴失対事件、京都地舞鶴支判昭二五・一二・二五刑資一〇二・六七六、反対例東京高判昭二八・一一・一七刑集六・一二・一七二一）。

五　却　下

一　申立書の記載事項と却下との一般的関係

中労委規則三二条二項には、申立書に記載すべき事項として、1　申立人の名称住所、2　使用者の名称住所、3　不当労働行為を構成する具体的事実、4　請求する救済の内容、5　申立の日付、が列挙されており、同条四項は、二項の要件をかくとき、その欠陥を補正させることができ、規則三四条一項一号は、かかる要件の欠陥が補正されないとき、却下しうることを認めている。これらの規定の相関関係から、三二条二項の申立書の記載事項に欠陥がある場合（したがつてそれと密接な関係のある三四条一項五号六号の却下事由該当の場合も。同条二号については別に規則二四条の補正があり、四号については後述のようにその認定そのものが事実上むずかしい）、補正しえない欠陥を除き、これを補正せしめて審査を行なうべきもので、補正の督促にもかかわらず実行しない場合か、実行してもなお要件を充たさない場合にはじめて却下すべき性質のものであることが判るのである。労働委員会における却下事例も、若干の試行錯誤を経て、右の趣旨に近づいていることを示している（労働委員会年報10〔昭和三一年〕三四頁第九表によれば、制度発足当初〔昭和二四年―昭和二六年〕までは、却下事例がきわめて多かつた〔全処分件数の三四%ないし四七%〕にかかわらず、近年は例外的なケースとなつてきたことだけでも右のことがいえると思う）。

したがつて、現行規則上「申立書の受理」という取扱いはない（昭和二六年五月の改正で申立書の受理という表現が削除された、したがつて受理前の却下あるいは受理後の却下という区分はない）。ただ、審査をはじめた後の段階での却下が別に規定されている（規則三四条四項）ので、却下は審査開始前の却下が建前ということになる。しかし、却下事由の存否も調査の段階で調べられることからすれば、かかる区分自体それほど意味はない。

そのほか、労働組合が申立人のときで組合が法の規定に適合する旨の立証がない場合（規則三四条一項二号）、申立が行為の日から一年を経過した事件の場合（同三号）、申立が地公労法の規定で救済をうけられない場合（同四号）、にも却下事由となる。

審問を経ないで申立を排斥する方法が却下とよばれるが、審問を経ないでなしうる点については後記「審問」の項【42】を参照されたい。

却下事由の存否は、いわゆる職権調査事項であるのかどうか。結論的にはそのような設問自体あまり重要な意味を有しない。規則の規定の仕方は、そのようなものに近いものとして取り扱つてはいるが、民訴的な意味のそれに該当せしめて厳密に考察するのは、**三**の**一**、**二**、**三**、ならびに**四**の**一**、**二**、**三**でみたとおり、またこの項の**二**、**三**、**四**でみるように、それほど適当でない場合が多い。

二　申立人、被申立人に関する事項

要件の欠陥には、もちろん申立人たりえないものが申立人であること、被申立人たりえないものが被申立人とされること、をふくむと解され、これの補正を促すこともちろん可能であるが、すでに申立人、申立の相手方の項目でみたとおり、しかく簡明ではなく、したがつて一見明瞭な場合以外技術的に問題をふくんでいる場合が多い。

(一)　申立人の場合

申立は組合個人いずれも可能であるが、組合申立で組合が解散ないし消滅した場合の取扱いについてすら、全く相反する考え方がなり立ちうるし、それ自体法律上は困難な問題なのである(萩沢判例叢書労働法(5))。すなわち、「組合は……自然消滅し、本件申立の当事者適格をもたぬ」と主張するが、申立人組合の少くとも本件が結了するまでは清算組合としても存続するといわねばならない」(京日事件、京都地労委昭二五・三・三一令集二・一二八)とするものがある一方、「申立人組合が解散し、当事者能力を喪失したもの、補正しえざる申立要件を欠除するものとして、本件申立を却下すべきもの」(関東醸造事件、埼玉地労委昭三三・八・九令集一八・三〇九)とするものもある。事例としては、却下事由とした例が多いが(日鉄輪西事件、北海道地労委昭二四・一一・七令集二・四二九、前出丸大織布事件、広島地労委昭三〇・九・二一令集一三・三四二)、運用としては、前にものべたとおり、申立の個人への受継が検討に値いする場合もあろう。

つぎに申立人に関するものとして、労政事務所長申立、第三者申立、代理申立等があるが、これらについての考え方は、すでにのべたところにつきる。ただ申立をしながら客観的に申立意思なきものとして却下した事例が相当数存する。条理上当然であり、【30】のように叮嚀に念を入れる必要もあるまい。中労委規則の不備の一つであろう。

【30】「当委員会は、本件の調査を開始するため、被申立人より答弁書の提出を求めると共に、調査開始通知を、九月一〇日、同月一五日及び同月一九日の三日にわたり、普通郵便をもつて肩書地宛申立人等に送付したところ、いずれも宛所不明として還付され、また、この間同月一六日、右調査のため呼出状を差出したが、これも前記同様の事由によつて還付されたので、重ねて一〇月八日配達証明の書留郵便をもつて調査開始通知を同封した呼出状を差出したけれども、これまた転居先不明として還付された。よつて一〇月一八日及び一一月二五日、当委員会事務局担当職員をして、肩書地及び杉並区出張所に赴き調査させたところ、申立人等はいずれも肩書地に居住せず、現在の居住地をも知ることを得なかつた。その後現在に至るまで申立人等からは転居の通知その他なんらの連絡もなく、全く居所不明である。右の事情に徴し、申立人等は当初の救済申立の意思を放棄したものと認めるの外ない」（亀八事件、東京地労委昭三一・二・一六命集一四・二〇一、同旨、三菱大夕張事件、北炭夕張事件、北海道地労委昭二六・三・二六命集四・三三一、横浜交易保全事件、神奈川地労委昭二九・九・二二命集一一・三三〇）。

組合を代表する者が正当に選出されていないことが却下事由たりうるとした事例（北日本興業事件、富山地労委昭二五・一〇・一〇命集四・二一）があるが、疑問である。なお、組合資格審査については、項を改める。

（二）　被申立人の場合　使用者たりえない者が被申立人として表示されたとして却下された事例

が若干ある（宇都宮自由労組事件、栃木地労委昭二六・九・一二令集五・一九七横浜職安事件、神奈川地労委昭二七・四・一六令集六・一九九）。形式的な一応の筋道としては当然であろうが、このような場合には申立人に適当と考える相手方が判らない場合が多いのだから、「申立の相手方」でのべた趣旨からすれば、一般的には不適当の場合がありうるだろう。

三　請求する救済の内容

（一）申立書に記載する意味　(1)　問題になるのは、「請求する救済の内容」はどの程度記載すべきものか、その記載にどの程度労働委員会が拘束されるか、記載がはつきりしないときはどうか、である。

【31】「申立人たる補助参加人は労働組合法二七条の救済を求める旨申立てているだけで救済内容を具体的に明示していないことを認めることができる。しかしながら不当労働行為の救済制度のねらいは、できる限り不当労働行為がなかつたと同じ状態を再現し普通の訴訟では到底できないような具体的事案に則した救済を与えることにあり、それは一応不当労働行為の態容と当事者の申立てを基本として考案されるであろうが、組合活動を理由に解雇された労働者についてはこれを復職させることが一番普通の事例であろう。従つて本件のように解雇を不当として救済の申立をする場合には申立が単に法二七条の救済を求めるということであつても、前記甲第一号証中申立人の主張の要旨に照らして考えるときは申立人の意図する所は同人の復職にあつたと解するに難くないから、救済内容が明示されていないとしても、本件命令の効力を左右する程の違法ということはできない」（揖斐川電工事件、岐阜地判昭二六・七・二労民集二・二・二一五）。

(2)　解雇された労働者の救済が特に本人が異議を申し出ない限り復職にあるのが通常であるし、労働委員会の命令においてもそのような救済内容が支配的である。また前述のとおりアメリカのNLR

B規則においては与えらるべき救済内容の申立書への記載を要求していない。一方NLRBで慣用されている救済方法たるポスト・ノーティス（post notice）も、わが国労働委員会でも一般化しただけでなく、その合法性は【32】によつて確立されたとみるべきである。

【32】「被控訴人労働委員会が控訴会社Yに対して原判決末尾添付の命令書中にあるが如き内容の声明書を控訴会社N工場の掲示板に掲示することを命じ又右救済命令の申立人であり、かつ本件不当労働行為当時はもちろん右命令当時も組合員であつたH等にこれが郵送を命じたのは、右救済命令の目的（労働委員会はその裁量によつて申立の趣旨に反しない限り（具体的事件に即して不当労働行為のなかつたと同じ状態に回復するという）目的を達するに適当な処分を命じうる――筆者注）に照して、その裁量を著しく逸脱し何等実益のない処分ということはできない」（山岡内燃機事件、大阪高判昭二七・八・一五労民集三・四・三〇四）。

(3)　したがつて、このようなものについては、あえて、申立書の「請求する救済の内容」にどのような記載があるのか、をそれほど問題にする必要はあるまい。現に請求する救済の内容を変形した数多くの救済命令があるし、救済内容の記載を欠いていたものも存する（慶谷淑夫「労働委員会による不当労働行為の救済について」労働経済判例速報五九号、六六号は救済内容の記載は不必要とされる）。

もちろん、申立人の意思に反する内容の救済を与えることは問題であろうが（その限度における申立主義）、そうでない限り広汎な裁量の余地があるものというべきで、そうでなければ、訴訟を専門に行なう機関でもない行政委員会に不当労働行為事件を委せた意味の大半は失なわれるであろう。したがつて、規則三二条二項でいう「請求する救済の内容」も申立人が希望する通常のものも具体的に記載する必要はあろうが、通常のもののほか、あるいは通常のものでなく特に、どんなことを希望するか、ということを表示せしめるものであり、それが形式的にかけたから、または、形式的に整わないから、ないしは、規則三四条一項六号に形式的に該当するからとして、門前払いする趣旨のものではない（同旨、色川・講座二巻三九五頁、柳川＝高島・争訟三八頁は、厳格な判断の対象となるべき性質のものではなく、むしろ、裁量権の発動をうながす程度のもの、とされる。慶谷・前掲、和田＝吾妻・註解四一七頁）。たとえば、労働委員会への申立は、単に解雇無効の命令を求めたにかかわらず、賃金遡及払付原職復帰を命じた【33】は、つぎのようにいう（三藤・諸問題一二―一七頁はこの点につき詳説される。その立場は【32】の趣旨は肯定されるが、【33】の「申立の範囲に拘束されるものではなく」にはやや消極的である。石井・労働法一八二頁は「あまり窮屈に解すべきでなく請求の趣旨に反しない限り適切な救済を与えうる」とされる。抽象的な表現ではあるが通説の立場であろう。）。

【33】「労働委員会の発する原状回復命令は不当労働行為の救済の申立を前提とすることはいうまでもないが、もともと行政機関たる労働委員会の発する原状回復命令が一種の行政処分である以上、労働委員会は民事訴訟法における裁判所の如く申立人の申立の範囲に拘束されるものではなく、その申立と不当労働行為の態容及び諸般の情勢を考慮して、不当労働行為を受けた労働者の救済に最も適切妥当な救済方法を具体的に定めることができるものと解するのを相当とし、労働組合法二七条二項の規定もこの点について何等の制限を附したものとは解されない。このことは、中央労働委員会規則四三条二項三号に命令の記載事項として「主文（請求にかかる救済の全部若しくは一部を認容する旨及びその履行方法の具体的内容）」と規定して、履行方法の具体的内容を請求と区別していることに徴しても明白である。従って原告の右主張は理由がない」（一畑電鉄事件、松江地判昭二七・一一・九中行資二・七六）。

（二）　却下される場合

規則三二条二項四号の記載内容を補正せしめても、規則三六条一項六号の「法令上又は事実上実現することが不可能であることが明らかなときは、その内容の個々については若干問題の存するところもあるが、【34】のようになる。

【34】「本件は昭和二六年三月二日に申立てられたものであるが、その請求する救済内容は後記の如く法律上不可能であることが明白である為、当委員会はその補正を待つていたところ、昭和二六年五月一日、関東配電株式会社は解散し従来の労使当事者の関係は一変するに至つた。もともと本件申立は関東配電株式会社が解散前の状態にあることを前提とするものであるから、労使当事者関係の一変は、当然本件申立にも影響することが予想されたので、当委員会は申立人組合が新たな事態に則応する何等かの措置を行うことを期していたのであつたが、今日に至るも、申立はそのまま維持されているので、これに対して次の通り判断する。イ、(「不当労働行為者の職務執行停止」について)不当労働行為における救済は、その不当労働行為に依つて生じた具体的の妨害を除去して不当労働行為の無かつた原状に回復せしめ、以つて労働者の団結を維持し、自由な公正な団体交渉を持たせようとするところにあるのである。然るに本項に於いて申立人の求めるところのものは、不当労働行為に依つて生じた妨害を除去せよと云うのではなくして、これに関係した役職員の職務執行を停止せよというのであるが、これ等の人々の職務を将来に向つて停止してみたところで、既に生じた妨害は之に依つて除去せられるものではなく、従つて何等救済の実を挙げることが出来ないのである。更に又過去に於ける人の行為のために、その人の将来の職務執行にまで及ばんとするのは現行法に於ける不当労働行為の救済方法としては行き過ぎであると云わねばならぬ。何となれば、現行法の目的とするところは、原状回復への救済であつて、刑罰乃至制裁を意味するものではないからである。右何れの点から見ても本項の申立は之を認容することの出来ないのは明かである、と云わなければならない。ロ、(「当組合並びに組合員の蒙つた損害の賠償及び原状回復」について)本件申立理由に於いて申立人が主張するところによると、かりに不当労働行為があつたとしたところで、具体的に如何なる損害があつたかは甚だ明確を欠いており、従つて、又如何なる原状回復を求めるかの点についても全く明確でない。もし電産を脱退して関労を結成した従業員をもとの電産組合員にかえせという主旨ならば、労働者の団結権を保障する憲法二八条の規定からしても、極めて無理な要求であると

云わざるを得ない。ハ、（「関東配電労働組合（御用組合）の労働組合法による資格否認の措置」について）労働委員会は不当労働行為があつた場合に、使用者に対して何らか具体的な作為又は不作為を命じて労働組合乃至労働者を救済し得るに止り、第三者の立場にあるものの存否もしくはその適法性などについての判断をなし得るものではない。従つて申立人のこの申立は明かに之を認容することが出来ない。ニ、（「其他、即時然るべき救済」について）不当労働行為において求める救済の内容は必ずしも明確な文字を以つて現わされる必要はないが、申立の全趣旨から見て如何なる救済を求めているかと云うことを推知し得るものでなければならない。しかるに本件申立書は、これを如何に精査しても、以上「イ」ないし「ハ」の三項目において主張された以外に救済内容として推知し得るものがあるとは認め得ない。故に、この点については、特に判断を加える必要を認めない。以上申立は、或は甚だしく不明確であり、或は法律上事実上の不可能を求めることが明かなものである」（電産中央本部事件、中労委昭二七・四・一六命集六・二〇七）。

四　不当労働行為を構成する具体的事実の記載の程度

これは一応相手方が内容にわたつて答弁しうる程度と解して差支えないが、その程度の記載もなく督促後相当の期間を経ても具体的な主張事実を明示しない場合は、規則三四条一項一号の事由、場合によつて同五号の事由ともなる。却下事由との関連では規則三四条一項五号のほか四号にも若干関係する。五号は「申立人の主張する事実が不当労働行為に該当しないことが明らかなとき」を規定し、申立書を一見して不当労働行為でないことが判る場合である。現行法が実施された最初の時期は、この規定による却下が異常に多かつたが、それは、ドッジ・プランによる企業整備事件、いわゆるレッド・パージ事件が不当労働行為事件として係属し、その数が異常に多かつたことと、機構上からくる労働委員会の事務処理能力と関係があり、一概に非難さるべきではないが、濫用をつつしむべき規定である。

しかしたとえば、「申立人らは被申立会社の不当労働行為を構成する具体的事実として一二項目を挙示して主張してきたが、申立人ら各人についての具体的事実をかくので第二回調査でその補正を命じたに拘らず、その補正をせず、その後再三にわたる調査にも出頭せず」(ジーゼル機器事件、埼玉地労委昭三一・四・二五命集一四・二〇二)とか、申立人らは、本件が不当労働行為として判断するにたる事実の主張はなんらなさなかつたのみならず、調査段階を通じてもそれを見出すことはできなかつた(三菱大夕張事件、北海道地労委昭二六・四・二命集四・四七三)場合には当然適用して然るべきものである。

四号の規定は、地公労法の規定に伴なつて入れられたのであるが、「不当労働行為を構成する具体的事実」のなかに、この却下事由となるべき事実が主張され、その主張事実も明白な場合は、問題がない。実際は、争議行為であるか否かが判定困難な決定的争点となる場合が多いから、門前払の規定としてほとんど活用されていないものである。

五　資格審査

(一)　資格審査方法に対する批判　　労組法五条は、労働委員会に証拠を提出して二条と五条二項に適合する旨の立証をしなければ、七条の救済を与えられない規定になつている。この立証の手続およびその証拠調の手続は規則二三条に規定するところであるが、通常、規約、労働協約、大会議事録、会計文書等および企業組合にあつては組合員の範囲に関する資料等を提出せしめて、必要あれば補正勧告を行ない、軽微な欠陥等については補正を確約させて処理している（中労委解釈指示第一号昭二四・八・二六。なお上杉実・労働組合の資格審査一五頁）。

このようないわゆる資格審査の方法について【35】はつぎのようにいう。

【35】「元来、資格審査は、申立労働組合が労組法二条及び五条二項の規定に適合するかどうかを認定する手続であるところ、同法五条二項は、労働組合の規約には、同項各号に定めるような規定、すなわち労働組合が民主的なものであるために必要な最低限度の要件を満たす規定、を含んでいなければならないことを要求するものにすぎないから、地労委において、当該労働組合が同法五条二項に該当するかどうか、を認定するにあたつては、同条項の趣旨、体裁から考えても、もっぱら組合規約につき同条項の要件を満たしているかどうかを審査すれば足りる、というべきであるが、他面、同法二条は、本来労組法上の労働組合であるための資格要件を定め、特に労働組合が実質的に自主性を有することを要求する規定であるから、地労委において、当該労働組合が労組法二条に該当するかどうか、すなわち自主性を有するかどうかを認定するにあたつては、単に当該労働組合や労働協約の文言だけでなく、その実体につき実質的に審査しなければならないものといわなければならない。そこで本件において訴外労組に対する資格審査がどのように行われたかを考えるに、甲第四号証、乙第一号証、成立に争いのない甲第五号証、証人H、Kの各証言を総合すれば、被告委員会は、訴外労組が資格審査の申立に際し提出した申請書とその添付書類である組合規約、労働協約及びこれらの附属書類、組合役員及び専従者名簿、組合専従者に関する規定、組合会計関係書類、組合組織形態などの書類を、まず事務局職員に調査させ、その翌日開かれた第八二回公益委員会議において、右提出書類のうち問題となつた二、三の点について、極めて形式的に討議したのにすぎず、そのほかの点については、被告委員会が昭和二二年八月に訴外労組の各分会につき資格審査を行つてその適格性を認定した当時と変つていない、という事務局職員の報告をきいただけでそれ以上何等の調査をしなかつたこと、そうして右の事務局職員の報告の基礎となつた調査資料は右訴外労組の提出した書類だけであること、訴外労組の各分会につき前回の資格審査の後である昭和

二七年一二月頃に原告会社の職制が変更されているのに本件審査において、原告会社の職制、組合員の範囲、職務内容などにつき具体的に調査した形跡のみられないことが、いずれも認められる。従って本件資格審査は、訴外労組が労組法二条に該当するかどうかの認定につき極めて形式的にすぎ、その実質的調査が充分になされたものと認めることはできない。そればかりでなく、資格審査における地労委の認定、判断の当否は、結局裁判所がこれを判断することになるのであるが、訴外労組が労組法二条に該当する労働組合であること、従って被告委員会がこれに該当するものと認定したのが正当であることを認定させるに足りる証拠もないから、要するに、本件資格審査は、その審査の方法、内容において違法であるといわねばならない」（日通会津若松事件、福島地判昭三〇・一一・一一労民集六・六・八八七）。

（二）　却下事由となるか　右の判決では、資格審査に関する規則二三条二項の事実の調査と証拠調が行なわれたか否か、その程度で事実調査ないしは証拠調といえるかどうか（直接的な表現ではないが）を問題にし、事実調査証拠調が、資格審査制度全体の意義からいかなる意味をもつべきかについては、余り関心を示していない。結局同判決は、【36】でいう如く「不当労働行為審査手続に論理的に先行」し適合しないときは却下すべきものとする。規則三四条一項二号は右の立証をしない組合申立について却下しうることをきめているが、実際の却下事例は昭和二四年以来約十件程度にすぎない。

【36】「資格審査は、これによって当該労働組合に労組法あるいは労調法上の救済を求める資格を与えるかどうかを認定する手続であって、資格審査の結果、労組法の規定に適合しないと認められた労働組合のした不当労働行為救済の申立は、その実体の審理に入ることなく却下されるべきものであるから、いわば不当労働行為救済申立事件の審査に論理的に先行する手続であるということができ、また規則二五条は、資格審査の結果に

ついて必ず決定書を作成し、地労委会長がこれに署名押印しなければならないことを規定しているのであつて、たんに公益委員会議が決定しただけでは、まだ行政機関の内部的な意思決定にとどまり、決定書の署名押印によつてはじめて資格審査決定という行政処分として外部的に成立し、その効力を生ずるものというべきであるから、資格審査の決定書は不当労働行為救済申立事件の審査を開始するまでに、あるいは遅くとも、右審査開始後、救済命令が発せられる時までに、必ず作成されていなければならない。ところが……を総合すれば、訴外労組が労組法二条、五条二項の規定に適合する旨の資格審査決定書には、昭和二八年九月一六日なお被告委員会の会長Kの署名押印がなく、その翌一七日はじめて右決定書が作成されたことが認められ、被告委員会が本件救済命令の命令書を原告会社に交付したのが同年九月二日であることは前にのべたとおりであるから、本件救済命令の発せられた当時なお本件資格審査決定書は作成されていなかつたことになり当時本件資格審査の決定はその効力を生じていなかつたことになる。このような本件救済命令は、前記（【35】の部分―筆者注）に述べたような違法な資格審査を前提とするものであり、また前記（直前の部分―筆者註）に述べたように資格審査決定の効力が生じていない間に発せられたものであるから、違法であるといわなければならない。そして右の違法は、後日資格審査決定書が作成されても治癒されるものではないと解する」（日通会津岩松前出）。

判された。

(三) 資格審査のもつ意義　【35】【36】の考え方はこれに対する上告審【37】【38】により真向から批判された。

（上告理由第一点）　原判決は、(1)労組法五条二項については、組合規約等につき、同条項の要件をみたしているか否かを形式的に審査すれば足りるが、法二条については「組合が自主性を有すること」を要求する二条の法意からして、組合の規約、協約などの文言による審査だけでなく、その実体について実質的調査を要すると判示しているが、左の理由によつて、法令の解釈を誤つたものである。

一、労組法五条の規定は、労働組合は法五条二項のみならず、法二条についても、法に適合する旨の立証を要することを規定している。二、しかも、組合がする立証は、訴訟上の証拠の如く、厳格な証明は要せず、労委をして一応自主的且つ民主的組合であることの真実を判断せしめる疎明程度で足りるのである。三、また、その立証に基づいて、労委が行なう資格審査と言う処分の内容もまた訴訟上の証拠決定の如く、当事者の認否を経て決定する処分とは異り、組合の立証に基づき、労委が一方的に救済を与え得る自主的民主的組合なるか否かを判定するに止まる確認行為である。四、従つて、組合提出の証拠をどう認定するかは、法二条及び五条二項各号の範囲内で、経験則に基づく合理的な判断で、労委が自由に裁量するものであるから、これに対する司法審査の範囲は、証拠の有無と言う点についてのみ限定さるべきものである。五、審査手続は、中労委規則二三条に基づいて会長の責任に委ねられ、会長の判断により提出証拠のみによつては、立証不充分と認めた場合に限り同条二項により、実体につき実質調査をなし得るものであるから、実質調査を要せずして、之が、立証充分なるものとの経験則に基づく合理的な判断下に於いて、法二四条の有効な公益委員会議で決定せられたものであれば、何等違法はない。六、労組法上、資格審査の手続について、特に、提出証拠の判定上その実体について、実質調査を為すことを有効要件としていないから、原審判示の如く、実質調査を資格審査の有効要件として、法令を適用したことは誤りである。七、然るに、原判決は、その事実認定に於いても、中労委規則二三条に於いて、職員をして審査事務の処理を担当せしめ得ることになつており、それに基づいて、調査せしめ、その報告を聞いた上で、委員会が決定したものであるにも拘らず、労委が、それ以上何等の調査もせず、(それ以上調査の法的根拠はない)極めて形式的に、労組法二条に該当するものと、認定したものであるとして、恰も、委員自らが実質調査をしなければならないかの如く断定していることは、法令の解釈を誤つているものである。

【37】　論旨第一点について労働組合法五条の立法趣旨は、労働委員会をして同法二条および五条二項の要件を欠く組合の救済申立を拒否せしめることにより、間接に、組合が右各法条の要件を具備するように促進する

ことにあるものと解すべきである。この点から、五条は、労働委員会に、申立組合が右要件を具備するかどうかを審査し、この要件を具備しないと認める場合にはその申立を拒否すべき義務を課していることは明らかであつて、二条の要件を具備するかどうかの点の審査が単なる形式的審査にとどまるものではなく実質的にこれをなすべきものであることは、(その方法、程度はともかく)同条の立法趣旨に照らし疑を容れないところである。しかしながら、この義務は労働委員会が、組合が二条および五条二項の要件を具備するように促進するという国家目的に協力することを要請されている意味において、直接、国家に対し負う責務にほかならず、申立資格を欠く組合の救済申立を拒否することが、使用者の法的利益の保障の見地から要求される意味において、使用者に対する関係において負う義務ではないと解すべきである。それ故、仮に資格審査の方法乃至手続に瑕疵がありもしくは審査の結果に誤りがあるとしても、使用者は、組合が二条の要件を具備しないことを不当労働行為の成立を否定する事由として主張することにより救済命令の取消を求め得る場合のあるのは格別、単に審査の方法乃至手続に瑕疵があることもしくは審査の結果に誤りがあることのみを理由として救済命令の取消を求めることはできないものと解すべきである。従つて、原審が単に資格審査の方法及び内容に違法があるという理由で本件救済命令に取消事由があるものと解したことは失当であり、この点において原判決は破棄を免れない(日通会津若松事件、最判昭三二・一二・二四民集一一・一四・二三三七)。

(上告理由第二点)　原判決は、(1)公益委員会議の決定は、単なる内部的意思決定である。(2)従つて、中労委規則二五条に規定する決定書に、会長の署名捺印あつて、初めて行政処分として、外部に成立するものであるから、決定書に署名捺印がないうちに発せられた労委の救済命令は違法であるから、取消すと言う判示に対しては、左の理由の如く法適用を誤つたもので憲法違反である。

一、労委が労組法五条の規定に基づいて行う資格審査は、労委が労組法二〇条に規定する判定的権限に準拠してなす行政処分である。二、法第二〇条には、「労委は五条、一一条、一八条、二七条の規定によるものの外、労働争議のあつ旋調停及び仲裁をする権限を有する」と規定し、一一条の処分については、同条及び施行令二条二項よりして、組合の資格を決定し、証明すること、即ち、決定という行為の外に、証明書の交付と言う要式行為を規定し、二七条の処分については同条よりして、命令書は、書面によること、その写を当事者に交付すること、且つその手続においては、中労委規則によること、等の有効要件をそれぞれ規定しているが、法五条の処分については、同条による権限とのみ、極めて抽象的概念が、規定されているに過ぎず、具体的措置については、何等規定していない。三、法五条の資格審査は、組合が、労組法に規定する手続に参与し、又は救済を求めようとする場合の前提要件としての規定である。従つて、同条に基づいて労委がなす資格審査は、最終処分たる救済手続とは、別個な処分として行うものである。その処分の内容としては、労組が立証した証拠資料に基づいて、法律が要求する最小限度の要件を具備するか否か即ち、法二条及び五条二項各号に適合する自主的且つ民主的組合であるか否かを判定すれば足りるのであつて、労委が、行政権の発動として、労組の資格を認定し、将来にわたり、合法、非合法の決定をするが如き処分とは異り、労委が、当面の問題に関し、労組法の組合として救済に値するものか否かを判定するに過ぎないのである。従つて組合に対するその処分の効果は、自主的且つ民主的組合として、労組法上の手続に参与し、又は救済を与えられる資格を認定されるのみに過ぎないのであつて、直接の法律効果は、その後組合の救済申立がなされて、労委によつて、法二七条の最終処分がなされてはじめて形成されるものである。四、このように、資格審査のみにては、直接法律効果を生じない処分であるから、法第二〇条の労委の権限も、組合提出の証拠について、確認するに止る権限を与えたものと解すべきである。従つて、資格審査は、法二四条に適合して有効に成立した公益委員会議の決定があれば足りるもので、何等外部に対する成立要件を必要とするものでない。五、中労委規則は、労組法二六条によつて、権限を与えられた範囲内に於いて、労組法上有効要件となり得るものであるが、法の規定を超えて、労組法上の効力を左右する権限を有するものでない。労組法上、中労委規則を有効要件として認めているものは、法二七条に規定する最終処分の場合の如く、その旨を特に規定している場合に限るのであつて、それ以外は、労委の行う事務上の手続規定と解すべきものである。然るに原審判示の如く、法に、中労委規則を有効要件とする旨を規定していない資格審査の処分に対しても、公益委員会議の意思決定以外に、中労委規則二五条を有効要件として、法令を適用することは、「規則を法に優位させる」もので違憲である。

（上告理由第三点）　仮りに、違憲でないとしても、原判決は資格審査の処分は、決定書に会長の署名捺印があつて、初めて行政処分として、外部的に成立するものであると判示しておるが、中労委規則二五条は、その規定の仕方において、労働組合が法の規定に適合するか否かについて、委員会が決定したときは、決定書という文書を作成し、会長の署名捺印を命じているので、少くとも、委員会の決定という事実行為そのものは、決定書の作成前に現に存することを明らかにしておるので、従つて決定書を作成し、会長の署名捺印をするということは、決定後の事後処理に過ぎないものである。然るに、決定書なる文書に会長の署名捺印なきことのみを捉え、決定書が作成されなかつたと認定し、労組法五条の立証について、労委の認定がなされていないと断定判示したことは、労組法五条中労委規則二五条の解釈を誤って適用したものである。

【38】　中央労働委員会規則二五条は、組合が労働組合法二条及び五条二項の要件を具備するかどうかということの審査が独立の処分としてなされる場合（たとえば法人登記のために資格証明書の交付申請があつた場合）にのみ適用される規定と解すべきである。しかるに、同法五条に基づく申立組合の資格審査は、不当労働行為の救済を与えるかどうかの前提としてなされるものであつて、救済命令もしくは救済申立を却下する処分と離れて独立の処分としての意義を有するものではないから、この場合の資格審査については、規則二五条は適用がないものと解すべきである。それ故、規則二五条に基づく決定書が作成されていないということは、本件救済命令を違法ならしめるものではなく、これと反する原審の見解は失当であり、原判決は、その点においても破棄を免れない（日通会津若松事件、最判昭三二・一二・二四民集一一・一四・二三三七）。

すなわち、このような資格審査制度の趣旨、ならびに、前からみてきたような審査手続の性格よりして、規則三四条一項二号を訴訟要件に近い意味で運用してはならない、ということができるだろう（反対・瀬元・判例叢書労働法(5)六四頁、大風・制度と手続四三頁）。

なお、この判決は、文字のみの解釈からは、不当労働行為制度の運用を全く骨抜きにできる余地のあった資格審査制度の、制定当時のきわめて政策的な規定の、不当労働行為制度との関連における意味を明らかにしたもので、条文の単なる文理解釈論理解釈のみで法律を解釈運用すべきではないゆえんを示したものとして、高く評価されねばならない。またこの判決は、労働委員会の命令書における理由記載の程度、支配介入の成立条件について妥当な考え方を明らかにした山岡内燃機上告審判決（最判二八年（オ）一〇五三、昭二九・五・二八民集八・五・九九〇後出【49】）とともに、労働委員会による不当労働行為制度運用の両支柱としての意義も重要である。

六　調査審問

一　審査一般について

規則三三条は「審査」として調査審問の両段階を通ずる一般的規定をしている。規則三三条一項二項と三七条一項の関係からすれば、申立があれば直ちに三七条一項の調査手続に入ると解されるが、もちろん三二条四項の補正手続もその前段階もしくはその段階中になされるべきこと当然である。

（一）　担当職員　三三条一項は担当職員について規定しているので、まず担当職員全般についての審査上の地位について一応ふれておくこととする。

労働委員会の事務を整理するために事務局職員がおかれ（労組法一九条一九項、地方労働委員会については同条二一項および施行令二五条）、これについては、職務上知得した秘密をもらすと（労組法二三条）、懲役刑か罰金刑の制裁（労組法二九条）がとくに設けられている。中労委規則ではこれをうけて各処に事務局職員について規定を設け、特定事件の事務を整理する者を担当職員とよんでいる（規則三三条、六五条、七一条、八〇条）。労働争議の調整についても、不当労働行為の審査についても、委員会としての業務は、会長統轄の下に委員が全部遂行し、職員がこれを補佐する建前となつている。もつとも、労働争議のあつせんについてはあつせん員候補者に職員を委嘱している委員会が多いので、具体的事件の解決に、職員が補佐役としてではなく、活躍する場面がある。不当労働行為に関しては、記録の整理（規則五七条）のほか口頭申立の録取（三二条三項）、担当職員の会長指定（三三条一項）、口頭取下の録取（三五条二項）、調査調書の作成（三七条三項）、担当職員による事件調査（三七条四項）、審問調書の作成（四〇条一〇項）、交付調書の作成（四四条）、行政訴訟の指定代理人となること（四六条）等がある。

このうち特に重要な規定は、口頭申立の録取、担当職員による事件調査、行政訴訟の指定代理人となること、の三つである。一般的に、委員が非常勤でありかつ一年毎に改選される建前となつているから、職員は、委員会の継続性維持に重要な役割をもつばかりでなく、委員の指揮をうけて事実上活動できる相当大きな分野をもつているというべく、この意味で職員の果してきた、また果すべき役割は重要であるといわねばならない。しかし担当職員の責任において処理する仕事においても、あくまで委員の業務の補佐という建前はくずしえないのであり、この意味での従属性は職員の本質的立場である。それと判断する者の立場からの補佐であるから、その意味の中立性が要求されるとともに、三者構成という独得の構成からくる公正さが求められる。それともう一つは、労使双方の当事者に対する受動的でありながら、相当積極的なサービスである。

(二) 代理人補佐人と会長指揮　規則三三条二項は代理人制度を、四〇条三項但書は補佐人制度を、いずれも許可制として、認めている。いずれも三三条三項の会長(審査委員)の審査指揮の範囲内に属する。許可制と関連して許可しない一般的基準はなく、相当の理由あるときは、不許可として差支えない。ただ許可制と四〇条三項(当事者自身又は指定された者の出頭義務)等に流れる基本的精神は、労働紛争は労使双方の本当の責任者がでて解決するのが望ましい、ということである。審査指揮に関連して証拠の申出の取捨選択の基準がなく(三三条四項)その方法異議等についても規定するところがないのは、納得づくの審査を一応予定したのであろうが、そのため一方の強引な引きのばしに対して案外弱い面も生じている。指揮権を事実上強く発動しないところにも、審査内容につき行政訴訟で争いとなる面が少い原因でもあろうが、思い切つた指揮を必要とする事例が現実には少くない。

(三) 証拠　規則三三条四項は証拠に関しいつでもこれが提出できる旨および証拠として取調べないことができる旨規定している。一見三三条四項は、民訴法一三九条の趣旨とは矛盾するようであるが、但書との関連から条理上時期におくれた攻撃防禦方法を排斥しうる場合をふくんでいるものと解される。

審問における証人調については後にもふれるが、民訴におけるそのほかの、書証(特に文書提出命令、民訴法三一一条—三三二条)

鑑定（民訴法三〇一条—三一〇条）検証（民訴法三三三条—三三五条）当事者訊問（民訴法三三六条—三四二条）証拠保全（民訴法三四三条—三五一条）証拠調の嘱託（民訴法二六二条）裁判所外における証拠調（民訴法二六五条）等の手続規定を欠いている。しかしこれらに類する調べはその必要が生じた際証人訊問、調査の手続、場合によれば労組法二二条の強制権限によつてなしうるところである。調整審査を問わず、労働紛争は労使双方の納得のうえで処理されるのが望ましい、そのようなものとして考えられたという労働委員会の性格、さらには三者構成という組織からして、権力的作用ともいうべき審査手続においても、そのような基本的性格にそつて解釈されてきたのである。したがつて労組法二二条の強制権限も従来消極的にしか運用されてこなかつた実状にある（積極説、色川・講座二巻四〇六頁消極説、吾妻・条解一八二頁菊池＝林・労働組合法二八〇頁）。

問題となるのは挙証責任である。原則としては「不当労働行為たることは不当労働行為を主張する側において立証すべき」であつて、「およそ解雇は原則として不当労働行為が成立するのであつて若し不当労働行為が成立しないと主張するならばその主張する側で立証する義務あり、とはなし難い」（都労委事務局事件、東京地労委昭二五・七・三令集三・八四）のであるが、それから先の挙証責任の分配は必ずしもはつきりしない場合のあること一般の裁判事件と同様である。ただ裁判と異なりこれをそれほど厳格に考えようとしていない点のあるのはやむをえないところで、或る程度「労働事件の流動性と多角性にかんがみかつは行政機関としての迅速性と便宜性」（揖斐川電工事件、岐阜地労委昭二五・六・一二令集二・一〇〇）を考えることになる（吉川「労働法律旬報」五七、五八号参照）。

立証の程度は、証明を要するとの見解（色川・講座二巻四〇三頁）もあるが、一般には疎明程度で足りるとせられ

【39】「救済命令はいわゆる準司法的行為ではあるが、これに不服ある者は、さらに裁判所の終局の判断を

うける訳であつて、要するに行政機関の前審としての判断にすぎない。これ等の点を併わせ考えると、民事訴訟におけるような厳格な制約をうけることなく」（山岡内燃機事件、控訴審前掲）。

ということになる。

二 調　査

（一） 調査手続　労組法二七条一項は、必要があると認めたときは審問を行なわなければならない規定となつており、この条文だけ独立して読めば、あるいは、調査手続だけで命令を発しうると解せないでもない。しかし、国家公務員法九一条二項の如く、公務員の不利益処遇についての審査にあたり、請求による公開口頭審理（したがつて請求がなければ行なわなくてもよい）の如き規定もないし、その反面二七条一項後段及び四項の対審原則のあるところから、中労委規則の構成も却下事由以外「必要がある」とする建前となつているのである。

規則三七条は調査の手続を規定し、その一項は訴訟における準備手続の段階に類する。この手続でどの程度の争点整理を行なうべきか、については規定がない。条理上双方の主張の整理、証拠の選択、のほか却下事由の有無を含むと解される（色川・講座二巻四〇二頁は審問条件の存否について、と説かれる）。三七条二項四項は、当事者の主張をきき、証人調をすることができる規定となつており、同項のその他適当な方法による事実取調のなかには、検証、鑑定、調査の嘱託等に近い手続をもなしうるものと解する。調査の手続については【40】がある。

【40】「被告委員会が原告会社に対し昭和二十五年二月一〇日付不当労働行為調査開始通知書を送付し、右

通知書に「事件の概要」として原告主張の通りの記載のあつたことは被告の明かに争わないところであるが、右「事件の概要」なるものは申立人の申立事実を要約したものにすぎずして労働委員会の判断の結果を現わしたものではない。従つて労働委員会が使用者に対し不当労働行為調査開始通知をなすには申立書の写を送付すれば足り、その外通知書に右の如く申立事実を要約して記載する必要はないが、調査の便宜のためかかる要旨を通知書に記載しても中央労働委員会規則三七条一項に違反するものということはできない。

規則三三条二項によれば不当労働行為救済申立事件の審査とは調査及び審問のすべての手続をいうのであり、法二七条一項によれば労働委員会が法七条に違反した旨の申立を受けたときは遅滞なく調査を行い、必要があると認めたときは当該申立が理由があるかどうかについて審問を行わねばならないのであるから、一見調査手続は審問手続に入るべきか否かを決する前階手続であり、既に審問手続に移ればその必要を見なくなるもののようであるが、規則三七条（調査の手続）四項（現行規則では三三条四項―筆者註）によれば当事者は審査が終結するまでは何時でも証拠を提出することができるのであり、右証拠の取調べも調査手続と解するのが相当であるから、調査手続は審問手続に入るべきか否かを決する前階手続に限らず、審問手続を維持すべきか否かの手続ともなり得るものと解せられ、審問手続に移つてから調査手続をなしたからといつて直ちに違法なものであるということはできない」（揖斐川電工事件、岐阜地判昭二六・七・二労民集二・二・二一五）。

(二)　調査における証拠調　調査は審問と異なり両当事者の立会、公開を必要としないから、調査段階での証拠調が問題となる。

【41】「本件審査に当つて既に審問手続に移つてから昭和二五年四月二一日に第一回審査同年五月三〇日に第二回審査と称して調査が行われ右調査による証人尋問によつて本件命令の不当労働行為を構成する事実を証明していることを認めることができる。しかるに規則三七条一、二項によれば調査手続における証拠の取調べは申立理由又は答弁の理由を疏明するためのものであり、換言すれば事件を審問手続に移すべきか否か、審問手続

を維持すべきか否かを決するための必要に限られるものと解するを相当とし不当労働行為を構成する事実を証明するには審問手続における証拠に基づかねばならない。しかも規則四〇条一、二、八項によれば、審問は公益委員会議が必要と認めるときは非公開ですることができるが、原則として公開であり、又当事者の立会のもとで行われなければならず、当事者、代理人又は補佐人は会長に告げて証人を尋問し、又は反対尋問することができるのであり、法二七条一項によれば審問の手続においては当該使用者及び申立人に対し証拠を提出し、証人に反対尋問をする充分な機会が与えられなければならないのである。しかるに本件においては甲第三一号証の記載によれば前記第一回審査は委員長K、委員H、同I、同M出席のもとに、第二回審査は右四名の他に委員Tを加えた五名出席のもとに、何れも当事者の立会なくして行われたことを認めることができるのであり、右手続は規則四〇条に所謂審問の手続に相当するものといい難く、規則三七条の調査の手続に該当するものといわねばならない。従つて本件命令は審問手続によるべきに拘らずこれによらず調査手続によつて発せられたもので正に手続の違法が存するといわなければならない」（揖斐川電工事件、昭二六・七・二労民集二・二・二一五）。

【41】によれば、不当労働行為の成否に関する証拠調は審問で行なわなければならない、ということになる。学説もほとんどこの立場をとる（和田＝吾妻・註解四七八頁、斉藤・講座二巻三七二頁、色川・講座二巻四〇二頁）。不当労働行為審査手続中、調査は比較的職権的色彩があり、審問は当事者主義的色彩が濃い、ともいわれる。【41】は、不当労働行為の審査は当事者主義的に行なわるべきだ、としたものともいいうるが、それは必ずしも正確ではなく、むしろ審決では対審、公開の原則が貫かるべきだ、それがこのような、裁判に近い結果をもたらす手続においては必要である、という考え方をあらわしたもの、として理解されねばなるまい。

ところで、【41】の考え方は、後に行政訴訟の手続においてのべるとおり、司法審査の仕方に関する裁判所の考え方と実質的には矛盾する面があるので、さらに検討と判例の積み重ねを要する問題である。

三　審　問

（一）　審問を経ないでよい場合　　労組法二七条一項四項は、前述のとおり、直接の表現はとつていないが、当該申立の内容自体―不当労働行為の成否自体―について理由があるかどうか、を審問―対審公開での主張、攻撃防禦、証拠調―を経て認定すべきことを規定したもの、と解されている。審問が必要ないと考えられているのは却下についてのみである。

【42】「労働組合法二七条一項によれば労働委員会は申立に対し「必要があると認めたときは審問を行わなければならない」と規定されているが、右はもとより審問の要否の判定を委員会の専恣に委ねたものではなく、不当労働行為ないしその前提要件に関する実体上の審理については、委員会は原則として審問を開く義務あるものと解せられる（中央労働委員会規則三三条一項二項）。しかしながら審問手続は要するに争あり若しくは明瞭でない事実関係につき、当事者双方の立証をつくさせ慎重な証拠調をなすためのものであるから、審問開始前に当事者の自認等によつて主要な事実関係が明瞭となり、これによつて委員会がこれ以上の証拠調を要しないと判断した場合には、審問に入ることなく申立を排斥し得るものと解すべきである。……被告委員会において本件につきこれ以上の証拠調をするまでもなく、原告等が救済請求権を放棄したことは明白であると認めたのも当然である。中央労働委員会規則三四条に「申立人の主張する事実の実質が不当労働行為に該当しないことが明かなとき」（現行規則では「申立人の主張する事実が不当労働行為に該当しないことが明らかなとき」―筆者註）には、審問手続を経ることなく申立を却下することができる旨規定している趣旨は、右のように審問前に明瞭になつた事実関係によつて、審問を開くまでもなく不当労働行為救済の要件がないものと判断された場合をも含むと解するのが相当であるから、本件において被告委員会が同条を適用して原告の申立を却下したことは違法でない」（東芝事件、東京地判昭二七・七・二労民集三・二・二五三）。

（二）　審問における証拠調　審問はいわば当事者主義的原則の働く手続であるが、そのなかで労働委員会の積極的な指揮が予定されている。証拠の取捨選択ばかりでなくみずから証人調を行なうこともできるのであり（労組法二七条三項）、職権的取調べの幅がある。運用によってやり方のバラエティの生ずる所以でもある。審問の審査手続中において占める意義については【41】のとおりであるが、審問における証拠調については、証人のほか格別の規定なく、それもごく原則的なこと（委員および両当事者の立会訊問を経べきこと）および証人訊問申出、呼出の方法等のみである（規則四〇条一項四項ないし八項）。証人訊問方法の原則としては、手続の公平とその結果の公正さを担保するのに有効と一般に認められて来つつある諸原則（民事訴訟規則三三条三四条三五条、民訴法二九四条、隔離訊問、伝聞証拠の価値、等）が行なわるべきものと考えられるが、当事者の事実上の能力の欠除、事件審理の能率化等による委員会自体の要請によっては、必ずしも厳格にこれにこうでいしなくても差支えない。ことに審査手続は、規則三七条四項但書が供述代用書面の提出を認めている如く、刑訴法三二〇条にみられるような厳格さを要求されておらず、陪審制度との関連において発達してきた英米法系統の徹底した当事者主義の下における証拠法の諸原則を実状を無視してまで形式的に応用さるべき場面ばかりでもないのである。

労働委員会の採証に関しては【43】があり、裁判所におけるような形式的厳格さは要求されていないとみるべきだろう。

【43】　「労働委員が労組法二七条による不当労働行為の申立に基づいて行う審問手続においては、民事訴訟法における如き厳格な証拠方法によることを要せず、その審問調査にあらわれた全資料に基づいて事実を認

定すればよく、申立人の申立書の如きも他の資料と対比して真実と認められる限りこれを証拠に採用することはこの種行政手続においては許さるべきである。而して被告委員会は右申立書の外、長浜工場労働組合の総会議事録、社長演説要旨等によつて前叙事実を認定したものであつて、何等違法はない。「双方に速記録なく正確に演説内容を知ることは困難である」というのは採証の困難なことを述べたにすぎず、証拠のないことを表明したものではない」（山岡内燃機事件、大津地判昭二六・七・一七労民集二・四・四八三）。

四　取下と和解

（一）　取下和解による事件解決　NLRBの手続細則は、地方事務所長の取下勧告によるチャージの取下（取下げないときは却下）のほか、話し合い、自主解決をする場合には、地方事務所長の認可を要し（細則七条）、コンプレイントを発した後にも互譲的な調整のための充分な機会を与えられるが、普通その約定には執行力賦与の申請のできる命令の内容がふくまれることになつている（細則九条）。

公益的立場からする申立取下制限の考え方であろうが、中労委規則三五条はいつでも申立を取下げうる旨、また三八条は会長（審査委員）が適当と認めたときはいつでも和解を勧告し成立したとき事件が終了する旨、それぞれ規定をしている。命令交付後の申立の取下を認めていないので、民訴法二三六条二三七条の如き効果はない。もし救済命令交付後に取下があれば、命令による受益を抛棄する旨の意向の表明として、労組法二七条九項の不履行通知義務を行なうに当り考慮すべき事由となる程度のもの、とみるべきであろうか。

中労委規則三八条は、労組法全体の建前、ことに職権再審査等の職権的公益的規定との比重からすると問題は残るけれども（色川・講座二巻四〇頁は「互譲的な和解には幾多の危険があり、不当労働行為制度の公益的性格をスポイルするおそれはたしかにある」とされる）、しかし、労使関係は流動的であり争いがいろんな形に変形し、最終的には命令や判決を形どおり履行し履行させる（そのような形ではまだ完全に片づいてはいないといえる）というよりは、事実上の話し合いで結末がついている実態であるから、NLRBにおけるようなはっきりした建前をとらない以上、実情に即した規定であるといわざるをえない。事実、初審に申立てられた事件中八五%はそのように解決し、残りの一五%のうち約半分の再審査事件でもその五〇%以上はそのように解決している（労働委員会年報15四九頁参照）。行政訴訟に係属しても途中で事実上の解決をみるもの多く、結局どの段階で終結するかが問題なのである。争いは早い間に結着つけるにこしたことはない。

（二）　和解条項の不履行等　　和解については、そのほかにも論議の種がある。実際問題としては、事実上の解決につき、争いが生ずる例は稀である。しかし理論的には、和解条項の不履行とか、再申立が可能か（労組法二七条の一年の制限との関連の生ずる場合もある）、ということ等が問題である。私見では、一般的には、和解条項が直接団結権の回復措置そのもの（多くは、予想される救済内容）を内容とする場合には、不履行そのものをも改めて不当労働行為として争いうるが（民訴に適する場合には民事訴訟をも）、直接的には団結権の問題を離れた形のもの（多くは示談金の支給）である場合は、もはや不当労働行為事件としては変形してしまつているから、協定の不履行という形で民訴をもつて争わるべく、協定の不履行の故に不履行そのものを不当労働行為として争いえないのは勿論、当初の申立と同じ申立をなしうるかどうか、疑問である、と考える。労働委員会の和解の状況およびそれによつて

出来た協定の不履行をとり扱つたものとして【44】があり、

【44】「前叙申請人の提訴にかかる不当労働行為救済申立事件につき大阪地方労働委員会ではＯ委員が事件を担当し三、四回にわたつて審問が行なわれ、同委員は漸次会社の申請人に対する解雇が不当労働行為に該当するとの心証をもつにいたつたが……相当の冷却期間をおいて申請人を復職させる基本方針を打出し、その冷却期間としては申請人が解雇通告後職場を離れてから大体六カ月が相当であり、その代りにその間の申請人の生活保障として申請人が従来会社から支給されていた実質賃金を確保する趣旨の下に……ここに調印、甲第一号証が作成されたものである。……右再雇用の約定は不確定期限とはいい乍ら、おそくとも前記三万円の分割支払の最終期である昭和三〇年五月三一日の経過と共に期限到来し、少くとも従前（解雇当時）と同一労働条件による再雇用契約の効力が発生するものといわねばならない」（田中運送事件、大阪地判昭三二・四・一二労民集八・二・二二一）。

とし、従業員として取り扱い、うくべき賃金相当額の支払を命じている。

取下の効果および事務取扱に関連し、取下の取消はできないとして却下した事例もあるが（諫早トラック事件、長崎地労委昭二七・一一・一四命集七・九六、小国蚕糸事件、福島地労委昭三三・一二・二五命集一八・二二四）、主文に表現されるべき問題ではなく、そのような申出があつたときどのように事務的に取り扱えばよいか、という問題であろう。

規則三七条の二は「審査の実効確保の措置」として、審査中でも必要な措置を当事者に対し「勧告」することができる旨を規定している。これは昭和二七年の中労委規則の改正により挿入された条文であるが、これは前年の全国労働委員会連絡協議会の決議による審査の実効確保の措置の一つとして、規則五一条の二等とともに規定された経緯がある。この運用によつて妥当な解決が結果された事例はあるが、数は少い。「勧告」ではもともと多くを期待しえないのかも知れないが、タフト・ハートレイ法一〇条(5)項（コンプレイントを発した後の一時的救済）のごとき明文をかいている等の制度上の問題でもある。

七　合議と命令

一　合　議

審問を終結したとき会長は公益委員会議を開き合議を行なう（規則四二条）。不当労働行為事件の合議ではないが、公益委員会議の招集手続について、事前通知なしに招集された公益委員会議はその招集手続に違法はあるが、公益委員が過半数出席しかつ欠席した公益委員も異議をのべない場合は、招集手続の瑕疵だけでその議事まで直ちに違法とすべきではないとする【45】がある。

【45】「ところで規則八条二項によれば、公益委員会議の招集は「緊急やむを得ない場合」のほかは、少くとも前日までに、付議事項及び日時を通知してしなければならないところ、本件の第八二回公益委員会議は右の事前通知なしに招集されているのであるから、右「緊急やむを得ない場合」にあたる事情があつたかどうか考えてみるに、一般に、ただ法人資格を取得するために必要であるという事情だけではこれに該らないといわなければならない。また、本件のように、法人資格を取得する目的が、第二組合との間の財産処分問題について早急に法廷闘争をする必要に基づくという場合であつても、それが一日二日を待つことのできないほど急を要するものということはできない。従つて右公益委員会議は、緊急やむを得ない場合でないのに、これにあたるものとして招集された違法がある。しかし、公益委員会議招集の手続に右のようなかしがあるというだけで、右公益委員会議の議事までが直ちに違法性を帯有するにいたるものと解すべきではない。ただ公益委員の

ある者が、招集手続の違法を主張して会議の開催に反対し、欠席したような場合は問題であろうが、公益委員の全員が異議なく出席したとき、またある公益委員は単に病気その他の事由によつて会議に出席することができない旨を会長に通知したが、過半数が出席したときは、招集手続の右かしは治ゆされたものと解するのを相当とする。本件では過半数の公益委員が出席し、且つ欠席した公益委員もその開催に異議を述べた事跡がないのであるから、その招集の手続に右のような違法があつたからとて、それがために会議の議事までが違法であるということはできない」（日通会津若松事件、福島地判昭三〇・一一・一一労民集六・六・八八七）。

事件の審査委員が一人で、その委員が合議に際しすでに退任している場合、退任委員を合議に参加せしめる必要はない【46】。合議に先立ち参与した労使委員の意見聴取の機会を与えないことは三者構成の建前上違法であろうが（規則四二条二項）、命令を取消すほどの手続の違法たりうるか否か疑問であり、まだ判例はない。やはり退任した場合にはその必要はない。

【46】「右命令が昭和二六年七月四日の公益委員会議において、原告主張の如く会長公益委員N外五名の公益委員出席会議の上決定され、K公益委員が右合議に参加しなかつた事実は当事者間に争なく、成立に争なき乙第二号証の一乃至十三（審問調書）によれば、被告委員会が前記不当労働行為事件につき審問を行い、K公益委員のみが昭和二五年一二月一四日より同二六年四月七日迄の間一三回にわたりなされた審問に関与したことは明らかであり、同委員が前記公益委員会議以前に任期満了により退任したことは原告の明らかに、争わないところである。而して、昭和二六年五月一二日改正された中央労働委員会規則四二条一項に「審問を終結したときは会長は公益委員会議を開き合議を行う」と規定され、すべてを公益委員会議の合議による判定に委ねていることが明らかであるので、公益委員会議が適法に構成され合議がなされている限り右規定に違反するものとはいえなく、すでに公益委員を退任したK公益委員が右合議に参加しなかつたとて、右合議が不適法になされたと

は言うに由ないものといわねばならない。尤も同条二項には「公益委員会議は合議に先だって審問に参与した使用者委員及び労働者委員の出席を求めその意見を聞かねばならない」とあるが、これは選任した公益委員に適用されるものとは解し得られないので、この規定に違反するものとも為し得ない」（朝日新聞事件、東京地判昭二七・一二・二二労行資二・一〇七）。

規則上は合議の結果による審問再開しか規定されていないが、条理上当事者の申し出による、または審査委員のみの判断による審問再開は認められる。

合議の結果、委員会は遅滞なく事実の認定をし、請求する救済の内容の一部または全部を認容するか、申立を棄却する旨の命令を発し、この命令は書面に作成し会長が署名捺印しなければならない（法二七条四項、規則四三条一項三項四項）。命令書には(1)命令書である旨の表示、(2)当事者の表示、(3)主文（請求にかかる救済の全部もしくは一部を認容する旨およびその履行方法の具体的内容または棄却する旨）、(4)理由（認定した事実および法律上の根拠）、(5)判定の日付、(6)委員会名、を記載する（規則四三条二項四項）。主として問題になるのは主文と理由である。

二　命令の主文

（一）　主文一般

主文は、請求にかかる救済の全部もしくは一部を認容する旨（法二七条四項、規則四三条二項）およびその履行方法の具体的内容または棄却する旨（法二七条四項、規則四三条二項四項）、となつており、救済する場合は確認的なものよりむしろ給付的なしかも相当具体的な内容の指示を期待している。しかし現実の主文の形は、普通「請求にかかる救済の全部もしくは一部を認容する旨」の部分を「その履行方法の具体的内容」と一体として、単に「申立人を直ちに原職に復帰させ解雇から復帰にいたるまでの賃金相当額を支払わねばならない」等の表現をとることが多く、また履行方法の具体的内容とくに賃金遡及払について当事者に争いの生ずる形のものがある。解雇無効の仮処分の判決内容の労働委員会的類推に端を発したと思われるが、今後検討を要する点である。タフト・ハートレイ法が、その一〇条(c)項において、局の裁量により、復職を命ずるに当り賃金の遡及払を伴なうか、もしくは伴なわない命令、について規定し、手続規則において、執行力賦与後のバック・ペイ手続（規則五一条および細則一五条）において地方事務所長の発したバック・ペイ明細書につきさらに審問を開く場合のことを規定している。この点に関し、わが国の現行法令規則においては、全く基準がないのを知らされるのである。しかしポスト・ノーティス等においてはきわめて具体的に指示（掲示の場所、掲示に用いる物質、およびそのタテ、ヨコの大きさ、文字を書く方法、掲示の日数、文言の内容等）しているもの多く、また履行状況報告を主文で求めているものもある。なお、ポスト・ノーティスの日本的変形として、申立組合に対する陳謝文の手交もしばしば行なわれ、一般化している。

救済内容については一般的には、「不当労働行為救済制度の目的は、できるだけ不当労働行為がなかつたと同じ状態を再現するにあり、その実質は行政処分なのであるから、労働委員会はその裁量によつて行為の停止（差止め）はもとより、当該不当労働行為なかりし以前の原状回復を命じ（原状回復）、または委員会の命令を工場事業場の一定場所に掲示（ポスト・ノーティス）せしめて同様の不当労働行為の将来における反覆の危険を防止する（予防）など個々の具体的事件に即してこれが救済を実現するために必要であり妥当と思料する一切の処分（広範囲の裁量）を命じ得る」（山岡内燃機大津地裁前掲）のである。ここで注意しなければならないのは、労働関係における原状回復には、こわした板べいを補修するように、その文字どおりの「原状回復」はほとんどありえない、ということである。その意味では観念的なものである。

(二)　抽象的不作為命令　ポスト・ノーティス、原職復帰賃金遡及払等の主文はすでに一般化し、個々の具体的事件における内容の適否は別として、その合法性は確立したとみうるのであるが、これらの救済内容の種々相の分析ならびにその他の救済内容に関する諸問題は別項で論ぜられているから、ここでは右に引用した判例の基本的考え方に関連し、従来問題とされたいわゆる抽象的不作為命令についてのみ主文の問題としてふれることとする。否定論の大宗は深日瓦事件(大阪地労委命令、昭二六・一・八、令集四・四五)であるが、波乱をよんだのが【47】の判決であつた。これを契機として学説も二派に分れ(積極、三藤・諸問題一九頁以下にもつともくわしい、吾妻・条解二一三頁、斉藤・講座二巻三七五頁、消極、石川・専門講座労働法三集二一一頁、色川・講座二巻四〇九頁)、労働委員会命令にも二つの流れがあつた。

【47】「次に命令主文第三項につき考えるに、同項には原告会社は今後労働組合の結成並びにその運営を支配し又は介入してはならない旨を命じているが、これは労組法七条三号の規定そのままの字句である。労働委員会の命令が確定したときこれに違反する使用者は過料の制裁を受け、更に命令が確定判決によつて支持されたときは禁錮若しくは罰金に処せられ又はこれを併科されるのである。それを考えると前記の如く将来にわたつて具体的に規定することのできない命令を発することは、結局制裁の裏付をもつた法規を規定することに等しいというべきである。しかるところ、労働委員会の職務は申立により不当労働行為の有無を判定し、この認定に基づいてその是正と原状回復を命ずることでなければならない。そうすると主文第三項の如き命令を発することは労働委員会の権限を超えるものであり、主文第三項はこの点において違法である」(日本食糧倉庫事件、京都地判昭二八・四・三労民集四・

二・九五）。

最近の判例では【48】があり、むしろ【47】を止揚して積極論に近く、前記山岡内燃機第一審の考え方を補充している、と評価すべきであろう。要はどの程度抽象的であるかが問題なのである（この点につき、柳川＝高島・労働争訟六六—七一頁はＮＬＲＢ命令と我国命令をくらべて紹介されている。）。

【48】「おもうに救済命令は、原則としては、すでになされた不当労働行為を対象とし、これを排除するため原状回復を命ずるのを建前とするが、救済命令が許されるのは、単に右の場合に限ると解すべきいわれはない。すなわち、たとえ、一旦不当労働行為が終了した場合であつても、再びそれが繰り返されるおそれが多分に存在し、予めこれを抑止するため救済命令を発する必要が存するときは、将来の不当労働行為を禁止するため、本件命令書記載の如き不作為命令（一、被申立人は従業員の賃金支払について申立人組合員と臨時工たる非組合員との間に自今遅速の差別を付けてはならない。二、被申立人は団体交渉に当つて申立人が交渉権を委任した栃木県労働組合会議及び栃木地区労働組合会議から派遣された者との交渉を忌避してはならない—筆者註）を発することも、法律上許されると解するのが相当である。尤も、かかる不作為命令は、予めこれを命ずる必要のあるときに限り許されるのであつて、その必要が認められない場合は、右命令を違法とすべきことは、もちろんである」（栃木化成事件、東京高判昭三四・一二・二三労民集一〇・六・一〇六二）。

三　命令の理由

理由には認定した事実および法律上の根拠を記載すべきこととなつている。双方の主張をくわしく引用する要もなく、命令書全体に主文を裏付ける理由の記載があれば足りるとされている【49】。

【49】「不当労働行為に対する労働委員会の救済命令書には、主文のほか「認定した事実」の記載がなければ

ならないことは、労組法二七条四項、中央労働委員会規則四三条二項により明らかであるが、ここに認定事実の記載がなければならないというのは、必ずしも、命令書中「認定した事実」と題する項目中にその記載がなければならないとする趣旨ではなく、主文を含む命令書の記載全体の中に主文を理由づけるに足りる事実理由の記述があれば足りる趣旨と解すべきである。本件救済命令書の主文を含む全体の記載を通読すれば、その趣旨が問題の演説中に「連合会に入ったのが悪かったのだ」との旨の発言が含まれていたことを認定するに足るものと解するに妨げがない。それ故論旨は理由がない」(山岡内燃機事件、最判昭二九・五・二八民集八・五・九九〇、同旨 淀川製鋼事件、大阪地判昭二九・一二・二七労民集五・六・七一〇)。

四　命令の効力とその違反

労働委員会の命令は交付の日から効力を生ずる(法二七条四項)。交付の方法としては、当事者の出頭を求めて交付し、担当職員が、交付調書を作成するか、受領証を徴する。これにかえて、配達証明の書留郵便で送付できる。この場合にも、不出頭および送達不能の場合もありうるので、中労委規則上何等かの技術的規定を考慮すべきである。

(一)　民事的効力　交付により効力を生ずる意味のうち、民事的効力を生じないことについては、【50】がある。

【50】「新潟地労委の本件命令によって原告ら主張の如き私法上の効果を生ずるか否かの争点につき按ずるに、新潟地労委が労働組合法二七条二項の規定によって発した命令は行政処分として使用者たる被告会社に対し命じたものであるから、被告会社がこれに服従する公法上の義務のみが生ずるのであって何等私法上の関係が生ずるものではない。使用者と労働者たる原告等との間には公法上も私法上の法律関係が生じないものと解するを相当とする。使用者が右命令に服従しない場合は、行政代執行法二条所定の要件を具備する場合に限り当該委員会においてその代執行をなすことが出来るが、そうではない場合には使用者は労働組合法二八条三二

条所定の各違反について同各条所定の刑罰等に処せられることによつて間接的に強制されるに過ぎないのである。労働者が不当労働行為に対する私法上の救済を求めるためには別に同法二七条九項（現行法一一項―筆者註）後段により裁判所に対して使用者を被告として解雇無効、又は従業員たる地位の確認を求め若しくはこれに伴い解雇無効の訴を提起する民事訴訟法上の手続があるのである」（日通柏崎事件、新潟地柏崎支決昭二六・八・七労民集二・四・五〇八）。

（二）　行政代執行と履行勧告　　行政代執行法による代執行しうるか否かについては考え方が分れている（消極説、中島・講座二巻四四三頁、西・判例タイムス一九・二七、積極説、東大・註釈二二二、柳川＝高島・争訟三一七頁）が、判例はおおむね積極の立場に立つているようである（後記執行停止の項参照、なお、判決決定で積極に考える旨はっきり示しているのは、【50】のほか近畿大学事件、大阪地決昭二七行モ一一昭二七・一一・一七、弥栄自動車事件、東京地決昭三四行モ一昭三四・一二・一五、国華タクシー事件、宇都宮地決昭三五行モ一昭三五・四・八等）。しかし代執行の事例はない。ポスト・ノーティスが考慮の対象として一応は考えられる（【50】および後出参照【87】）。

行政訴訟が提起されたときは後述の緊急命令による間接強制がある一方、再審査を申立てるとそのような強制がないからその内容が代執行に適しない場合は「有効な」行政処分を執行しようがない。規則五一条の二の命令履行勧告制度はこの欠陥を補う意味で設けられたが、それはど実効があがつていない。法がわざわざ効力を停止しない旨を規定しているほどであるから、もつと有効適切な手段が考えられて然るべきものである。

（三）　確定命令違反　　確定命令に対する違反として過料裁判となつた事例はきわめて少い。労組法上の命令不履行ないし違反に対する制裁は三種類あるが、法二八条および法三二条前段の場合は、それぞれ確定判決支持命令違反、緊急命令違反として別にふれることとし、ここでは法三二条後段の確定命令違反の場合のみについて二、三の判例をみる。

問題になるのは、再度の処分が不履行になるか否かである。

労組法二七条九項の規定の通知にもとづく過料裁判は数件あるが、すでに【26】でみたように処罰の対象が不適当として不処罰決定をしたほか、事実上の解決（和解成立）のため不処罰としたもの（書面によらない）もある。

【51】は再度の解雇等をもつて不履行とみ、【52】はその一部を不履行とみなかつた同一事件の抗告審である。

【51】　「被審人は昭和二六年一〇月一日愛媛県地方労働委員会より「A外三名に対する同年五月三〇日附解雇申渡しを撤回し同月三一日に遡り解雇当時と同一の賃金支払その他の待遇をしなければならない」旨の命令を受け（疏第一号）同命令書は同年一〇月二日被審人に交付された（疏第二号）が、被審人は右命令に対し所定の期間内に中央労働委員会に再審査の申立をしていない（疏第三号）し、また管轄裁判所に訴を提起していないから該命令は昭和二六年一一月一日を以て確定したに拘らず被審人は右Aを同月二日より同月九日まで復職させず、同月一〇日漸く復職させたが同年一二月二日までは工場外において土運びの人夫をさせ従前の如く工場内における精油工の仕事をさせていない、同年一二月三日より工場内に入れ大体従前の職場に復帰させたが第一に就労上(イ)終日社長自身の指示によつて行動すること(ロ)仕事用の器具の必要な場合は一応社長に連絡の上事務員を経て受取ること(ハ)脱衣の場合脱衣場を使用せず、事務所を使用すること(ニ)昼食は一般従業員の使用する食堂を使用せず、社長の指示する別の所で食事すること等異例の条件を付して差別的取扱に出ており、第二に同月一一日に至り同人に対し再び解雇の措置をとり（疏第四号、Aの当裁判所における陳述）前記昭和二六年一一月二日より愛媛県地方労働委員会が当裁判所に通知した昭和二六年一二月一八日まで四七日間は前記

確定命令を履行していない（通知書）ものである。右の事実は……によりこれを認めることが出来る。被審人の所為は労働組合法三二条に該当するから同法条を適用し、尚手続費用の負担については非訟事件手続法二〇七条四項を適用し主文の通り決定する」（太陽石油事件、松山地決昭二七・二・一四労民集四・五・四五二）。

【52】「証人Y、T、の各証言によると、抗告人主張のとおり昭和二六年一〇月一八日にAの職場に災害事故発生し、右日時頃まではその職場での作業が許されなかつたことは明らかである。従つてAがその職場において作業に従事し得ないこともまた争の余地はない。然らば斯る際の本件救済命令は、受命者の責に帰し得られない事由による履行不能の状況にあつて受命者はその義務を免かれるものであろうか。本件救済命令は第一段にAに対する解雇を撤回して復職を命じたものである。もとよりその復職とは解雇当時の職場における作業に従事せしめること、即ちその目的は旧職場への完全な復帰であることも明らかであるが、若しその職場が事故により作業中止となり、或は経済上その他経営上の合理的な事由によつてその職場を廃止したような場合には、右復職命令は被救済者の作業能力に適応する類似の職場或は類似の作業に従事せしめること、即ち客観的合理的な判断に基づいて、被救済者の復職の実を挙げることをも内容とすることは、復職命令が労働組合法七条二七条の規定による労働者に対する救済命令たるの本質上当然のことといわねばならない。従つて復職命令が履行不能にある場合とは天災等による全作業の停止或はやむを得ない経営上の理由による企業の廃止等被救済者の救済の途を講ずることができない事情にある場合といわねばならない。右Aが新規の採用者（約一年程）であつて特殊の技能なく単に泥油や廃油の運搬、釜場の掃除等の雑役に従事していたことは証人Kの証言により認められるところである。而して前記Y証人の証言によると当時抗告人会社においては工場建設の途上にあつて右Aの雑役に相当する仕事が他にあつたことを認められるから、同人に対しこのような仕事にも従事せしめず全く復職の措置を講じなかつたことは本件復職命令を履行しなかつたものといわねばならない。抗告人は復職をさせなかつたのは、Aの承諾を得た旨主張するが同人の証言によるとその事実は認められない。抗

告人に右期間本件命令を履行しなかつたことに対する合理的な事由は、他に一つも認められない。然らば抗告人は前記八日間は本件救済命令の一部に違反したものと認めざるを得ない。次に抗告人はAに対し同年一一月一〇日より一二月二日まで土取りの作業に従事せしめたことは抗告人自から承認した事実により明らかである。当時右同人の職場が前述のように事故のため復旧しない状態にあつたことと、同人の従来の仕事の内容が前記認定の雑役であつたこと等より考慮すると、同人を土取り作業に従事させたことは当時の状況よりしてはやむを得ない措置であつたと認められる。尤も証人A、Tの証言を綜合すると、工場内により適当な仕事があるにもかかわらず、前記のような土工の仕事にのみ従事させたようなことが窺われないこともない。従つて被救済者たるAにとつては必ずしも満足のいく好意的な措置でなかつたことは推測に難くないが、しかし右土取り作業は職場が復旧し作業運営の安全性が確保されるまでの暫定的な措置であつたと認められることと、当時の状況よりしてこの程度の措置でも救済の実が挙げられているものと認められる点等よりしてこれをもつて命令違反として処罰の対象とすることは妥当な見解とは思料せられない。Aが同年一二月三日より従前の職場に復帰したことは同人の証言により明らかである。而して右証言及び抗告人提出の陳述書上申書等を綜合するとAの就労上(イ)特に社長の指示に従うよう命ぜられたこと(ロ)仕事用具の取出しについては、社長或は事務主任の許可を受けること。(ハ)脱衣を特に事務室にて行わせたこと、(ニ)昼食は特に指定された桟橋元の事務所で行わせたこと等の事実が認められる。然しながら右の措置が同人の完全復職を阻害する意図の下に行われたものであつて、且復職の実を挙げていないものであるかについては本件記録によるも明らかでなく他に明確な証拠資料もない。従つて本件復職命令は、一旦有効に履行せられたものと認められる。その後多少特別な取扱上の差別があつても、そのことは本件復職命令の違反に当るのではなく、今後の労使双方の交渉によつて解決すべき事柄であるか、或は別個の不当労働行為に該当して救済命令の対象となるものであるにすぎない。然らば抗告人にこの点につき本件命令違反はないものと認める。抗告人がAに対し、更に同年同月一一日解雇の措置をとつたことは抗告人の承認する事実により明らかである。右解雇の措置が仮りに不当なものであつても、本件復職命令は前記のように既に履行せられ、受命者たる抗告人の義務は消滅したものであるから右命令の違反となることはあり得ない。ただその解雇が最初から本件命令を履行しない意図の下に、一旦擬装的な完全復職の措置を講じ、然る後脱法的に為されたものである場合にはもとより命令違反に該当するものといわねばならないが右解雇の措置が抗告人の前記の意図の下に行われたものと認定するに足りる資料はない。従つてその解雇の措置が不当であつて、新たな救済命令の対象となるかどうかは別途の問題となるから本件の命令違反として論ぜらるべきものではないと思料する。果して然らば右認定に反する原決定は一部失当であるからこれを変更し、抗告人を過料金五万円(原決定一〇万円—筆者註)に処することとし、労働組合法三二条非訟事件手続法第二〇七条第二五条民事訴訟法第四一四条第三八六条に従つて主文のとおり決定する」(太陽石油事件、高松高決昭二八・一〇・一四労民集四・五・四五五)。

この問題は相当困難な問題であり、たとえ労働委員会が「最初から本件命令を履行しない意図の下に一旦擬装的な完全復職の措置を講じ、しかる後に……」という事実を調査しえても非訟法には当事者たりえない【53】のであるから、事実上通知を補充するか、くりかえすほかはないことになる。不履行か新事件かは具体的事実に即さねば解明しがたいが、二者択一というものでもないだろう。

【53】「本件抗告の要旨は、「原決定を取り消し、被審人トウキョウ・シビリアン・オープン・メスの処罰を求める」というにあり、その理由とするところは、末尾添附の準備書面と題する書面記載のとおりである。よつてまず抗告人に、原決定に対する抗告権があるか否かにつき考えるに、労働組合法二七条九項の規定は、戸籍法施行規則六五条、不動産登記法施行細則七一条の四、商業登記規則七八条の諸規定と同様の規定であつて管轄裁判所の職権発動を促す趣旨のものである。このような場合には管轄裁判所は、非訟事件手続法二〇七条に則り裁判をなす前当事者の陳述をきき、検察官の意見を求めなければならないものであり、当事者及び検察

官は過料の裁判に対しては即時抗告を為すことができるのである。しかして前掲諸規定にいう市町村長、登記官吏が非訟事件手続法二〇七条にいう当事者にふくまれないことは久しきにわたつて異論を見ないところであり、労働委員会のみをもつて、右規定にいう当事者であると解することは法の体系を誤まるものに外ならない。殊に労働組合法二七条九項においては、労働者にも通知権を認めているのであるから、労働委員会が非訟事件手続法にいう当事者であるならばここにいう労働者もまた当事者であり、その間区別する理由がない。しかもここにいう労働者をもつて当事者と解することの誤つていることは、非訟事件手続法二〇七条の構造から考えても明らかであろう。それ故管轄裁判所が違法者として通知せられた者を処罰しない旨の決定をなした場合は、非訟事件手続法二〇七条の趣旨に従い、公益の代表者として裁判所に法の正当な適用を請求する権限を有する検察官において抗告をなすことを得べきものと解すべきである。この様な場合検察官以外の者に抗告権を認めないのが法の精神である。本件の場合抗告人の抗告権を認めた明文の規定が存在しない以上、非訟事件手続法第二〇七条の原則に従うべきものと考える。よつて、抗告人の本件抗告は不適法であり、これを却下すべきものとし、主文のとおり決定する」(ユニオン・クラブ事件、東京高決昭三二・七・二〇労民集八・四・四一九)。

(この点に関する抗告理由)　一、非訟事件手続法二〇七条三項は「当事者」は過料の裁判に対し即時抗告ができる旨を規定している。ところで非訟事件の「当事者」の観念は、民事訴訟における「当事者」の観念程明確でなく、非訟事件手続法が「当事者」を指称する用語は一定せず、関係人(六条、二八条)申立人(二〇条)申請人当事者(一四七条、二〇七条、二〇八条)等の名称を用いている。これは、民事訴訟が原告と被告間の争訟であり、その裁判によつて直接の影響を受ける者は、原告被告及び参加人の外に出ないのに反して、非訟事件は特定人の間の争訟でなく、その裁判が影響する範囲を直ちに明かにすることができないからである。よつて非訟事件における「当事者」とは事件の申立人の外、当該事件の裁判の内容により、その裁判によつて自己の権利義務関係に直接の影響を受ける者と解する。従つて申立人でなくとも、右のような裁判を受くべき者又は受けた者は当然当事者たり得る。
二、労働委員会は、労組法上不当労働行為に対して救済をなすべき公法上の権利義務があり、その権利乃至義務を実行する手段として、先ず使用者に対して救済命令を発して不当労働行為を停止させ、右命令に従わない者に関してはその旨を裁判所に通知して、過料の裁判を仰ぎ、救済命令の実効を期している。今委員会の救済命令に従わない者につき、当然過料に処せられるべき者として裁判所に通知をしたにも拘らず、裁判所が之に対して過料の裁判をしないとすれば、委員会の救済命令は何等の実効なく従つて委員会が不当労働行為を救済するという公法上の権利乃至義務を果すことは出来なくなる。法律も委員会に右の権利義務を果させるために、救済命令の不履行がある場合、委員会としてその旨裁判所に通知することを義務付け、救済命令により直接利益を蒙る労働者の裁判所に対する通知は任意のものとしている（組合法二七条九項）。
三、よつて救済命令の不履行に対する過料の裁判の如何は、直接労働委員会の公法上の権利義務に影響を及ぼすものであるから、その裁判については委員会は非訟事件手続法二〇条一項に所謂「裁判に因りて権利を害せられたりとする者」、乃至は同法二〇七条三項にいう「当事者」であると言わなければならない。
四、原裁判所としても当委員会に本件過料の決定正本を送達したのは、当委員会を非訟事件手続法一八条に言う「裁判を受くる者」に該当するものとして裁判告知方法として右送達をなしたものと思われる。然して右の「裁判を受くるもの」は、非訟事件手続法二〇七条に言う当事者に含まれることは明らかであるから、裁判所は当委員会を当事者として認めていると考えられる（非訟法六条参照）。

八　再審査の手続

不当労働行為事件処理に関する中労委の権限は相当強大である。管轄については、法二五条の建前を施行令二七条によつて制限しているに拘わらず、全国的重要問題の初審管轄を有するだけでなく完全な権限をもつてする再審査の制度があり、しかも申立主義と職権主義を併有している。純然たる職権再審査はその例がなく、その意味で法の予定した中労委の活動の幾分かは現実に未発動の状態である。以下再審査には初審の手続が準用されるから重複をさけ再審査で特に問題とされる点のみにふれる。

一　申立による再審査

（一）　再審査申立　(1)　規則五一条は再審査申立に規則三二条二項を準用するほか特に口頭申立に関する一項三項を準用していない。一方規則五六条は三二条をふくめてその性質に反しない限り初審の手続を準用している。不当労働行為事件によつてひき起された労使関係の紛争はなるべく早期に安定せしむべきであるという要請が法を流れている（法二七条一項二項六項等）と考えられるから、再審査申立については、特殊な例外を除いて、特に規定あるもの（規則五一条一項五項中地労委経由申立）のほか、口頭申立等の便法を認むべきではないだろう。

申立は労使双方いずれからでもなしうる（法二七条五項一項）。再審査申立人は初審申立の当事者に必ずしも厳格に限定されない（同説、吾妻・条解二一五頁、菊池＝林・労働組合法二九六頁、斉藤・講座二巻三六〇頁、反対、色川・講座二巻四一二頁）。労使関係は動きやすくまた具体的なだけに、【54】のような考え方が妥当である。申立の相手方についてもこれに近いことがいえると考えるが実例はない。

【54】「本件初審申立人は、I労働組合であるが、初審の棄却命令に対して初審申立人が再審査を申立てな

いときに、係争被解雇者が再審査を申立てることは、制度の主旨及び手続の迅速化より見て敢て違法とするには当らない」（一畑電鉄事件、中労委昭二七・一二・二三令集六・二二四、同旨東北ドック事件、中労委昭二五・一二・一三令集二・四〇六）。

(2)　申立期間は初審命令交付の日から一五日以内である。使用者につき法で、労働者につき規則で規定されている点若干問題が残る（色川・前掲四一四頁はやはり疑問ありとされる）。交付の日を算入しない。いわゆる訴願前置の原則が労働者側の行政訴訟提起に当つて適用された結果による場合にも起算日を単純に交付の翌日からとするのは若干の不合理もある。【55】の事件では、地労委の昭和二八年三月二一日付棄却命令に対し、適法に訴を提起し、同年九月一六日却下の判決があり（九月末送達）同年一〇月一〇日中労委に再審査申立を行い、期間経過で却下される一方、訴願前置で控訴棄却されたのである。法の不備で放置されてよいのであろうか、もつと合目的的に運用されるべきものだろうか。もつとも、労働者側に訴権なしとする考え方に立てばいずれにせよ問題はない。

【55】　「中央労働委員会が労働組合法二六条の規定に基き規定を制定するに当つて、同法の規定の趣旨に反する定めをなし得ないことは所論のとおりであるが、同法二七条二項は、初審の救済申立に関するものであつて、再審査の申立に関するものでないことは明らかであるから、右委員会規則五一条三項が再審査の申立につき一年より短い期間を定めたからといつて、これがため右規則が無効となるものでないことはいうまでもない。もつとも、規則による再審査の申立期間を定めるに当つて、その申立を事実上不可能ならしめる程度にその期間を短縮することは、許されないものと解すべきであるが、使用者側の再審査の申立期間が一五日と定め

られている（同法二七条五項）こととの比較からいつても、労働者側についても、この程度に再審査の申立期間を限定することは、法の趣旨に反するものとは解されない。所論は、いずれも右中央労働委員会規則が法の趣旨に反し無効であることを前提とするものであつて採用の限りでない」（東北電力秋田事件、最判昭三四・六・二六民集一三・六・八二〇）。

(3)　再審査申立は初審地労委を経由（地労委提出日が申立の日、規則五一条五項）しても直接中労委にしてもよい。再審査申立書の記載事項は、規則三二条二項で準用すべきことのほか、不服の要点とその理由であり、初審命令を添付すべきこととなつている。問題は相手方が答弁しうる程度の記載のない等の場合の処置である。

法二五条二項は再審査却下の規定を有するにかかわらず、規則では、再審査申立却下の規定を欠き、初審における申立却下の条項を準用するにとどまる。期間経過や前記の答弁を求めえない程度の申立その他手続を故意に進行せしめないいわゆる戦術的申立等については、却下または取下の擬制等の明文をおくべきであろうが、現行法令規則下では一定期間をおいた督促を経て、直接法二五条および規則三四条の準用で却下することができると解される。

(4)　付帯申立を認める明文の規定はない。間接的に否定したと考えられる事例【56】がある。この事件は、労働者個人が複数で申し立て、初審で一部労働者に部分的な救済が与えられ他の労働者には全然救済が与えられなかつたケースで、再審査では、一部労働者についての部分的救済につき使用者が、棄却について当該労働者が、それぞれ再審査申立を行ない、労働者が被申立人となつている係争について審査中被申立人が救済の限度が不服であると主張した事件である。

【56】「その救済の限度について右七名は初審命令の内容を不服だと主張するが、この点について再審査を申立てたのではないから、この主張を容れることができない」（尼崎製鋼所事件、中労委昭三二・一二・二五命集一六・三八二）。

この命令は申立なければ救済もなく（事件のなかで主張しただけではだめ）相手方の申立の場合自分の方に有利に変えることはできないという不利益変更禁止（規則五四条一項 五五条但書）を明らかにしたものであるが、この原則は労組法二五条二項の「完全な権限をもつて再審査」する建前と具体的に衝突する事態はないだろうか。規則五四条一項および五五条但書にこの点の何等かの補足を必要とする所以でもある。

例えば、初審の救済の程度に不服の場合（原職復帰のみを命じバック・ペイを棄却あるいはその逆等）、初審命令の主文を左右する理由の一部のみに不服の場合（不当労働行為だが救済を与えないというとき救済しない点についてのみ等）、技術的規定を欠くので解釈上運用上問題が起りうる。

前者につき、相手方（使用者）の対抗的な別の形の申立がなければ、不当労働行為の成否自体が争われえず、その点の判定をもなしえないとすれば、法二五条の建前から問題であろうし、不当労働行為の成否自体が争われうるとし消極的な結論となつた場合には、規則五四条一項および五五条但書の不利益変更禁止にふれるのである。後者につき、相手方は不当労働行為の成否自体についても争いうるのであるが、この場合にも規則五一条一項の解釈が問題とされる余地が残る。

このような問題に際しては再審査の覆審的性格が強くあらわれて来ざるをえず、また完全な意味での申立主義を貫けない所以でもある。

なお、労組法二七条六項から、行政訴訟を提起した後に再審査申立をすることは妨げず確定判決によつて支持されるまでは双方共係属（法二七条一〇項）するものと解されている（和田＝吾妻・註解五〇一頁 色川・講座二巻四一一頁）が、実務上は調整を要するところであろう。

(二)　再審査の性格　(1)　再審査の範囲は申し立てられた不服の範囲において行ない、労働者側の場合は初審請求の範囲をこええない。規則五四条一項自体は相当徹底した申立主義をとつているようにみえる。規則五五条但書の命令変更の限度も同趣旨である。しかしすでにみたとおり、その申立主義もその文字どおりの厳格な意味に解すれば、労組法二五条二七条の大筋に反する運用となつてしまうのみならず、後にみるような職権再審査規定と総合して再審査制度を考えてみる必要もある。やはり初審よりは相当程度申立主義の色は濃くなつているものの「請求の趣旨」あるいは「原因」に訴訟程かたく拘束されると解すべきではなかろう。

(2)　再審査方法につき従来しばしば覆審か続審かという形で論議されてきた。以上の性格から、覆審に近い建前をとりうることを前提としながら、初審審理を基礎とする続審的なものとなつている、といえる。

したがつて、初審手続におけるすべての審理の材料が基礎となつて審理がすすめられるが、初審命令の当否そのものが対象となるのではなく、不当労働行為の成否、再審査時における裁量の適否を通じて、初審命令が結果として支持され取消されるのであり、また、それ故に破棄差戻に類する手続もないし、初審手続の瑕疵の治癒的機能【57】もでてくるのである。

このことからまた当然新しい証拠調をし再審命令をだすまでの一切の材料が判断の素材となるし、

初審を取消す場合はみずから命令をだす。初審を承認する場合普通「棄却」と呼んで慣用されているが、中労委みずからの処分としてなされたものである。この場合法二七条五項但書で初審命令も生きていると解されることから、同条六項八項との関係で、後にのべるように行政訴訟の被告たりうるものにつき見解がわかれてくる。

なお、中労委の再審査の右のような性格を強調するあまり、当事者が再審査で和解すれば、初審命令は取り消さるべきものである、とする見解がある(色川・講座二巻、和田＝吾妻・註解四九九頁、吾妻・条解二一七頁)が、取り消すべき実益は全くないのみならず、実情にそぐわない(かかる必要の生じた事例は一件もない)。

【57】「被申立人会社は、当審に対する追加申立書によつて、右二一名に対する新潟地労委の審査に当つて、審問が行われなかつたから、その手続に違法があると主張する。かかる手続上の瑕疵が存したことは、初審記録によつても明らかであるが、初審命令に対して、被申立人会社が、行政訴訟による取消を求めることなく、出訴期限が経過し、当審において、右二一名に対する審問手続を尽したのであるから手続上の瑕疵は治癒されたものと云うべく、従つて、右主張もこれを採用することはできない」(日通新潟事件、中労昭二六・一〇・二七命集五・二五〇)。

二　職権再審査

一般的には、中労委は、全国の不当労働行為事件の命令について報告を得、とくに不当と想定する事件につき、当該事件が確定判決により支持をうるまでは(労組法二七条一〇項)職権再審査をなしうる、とも解されるが、このような運用は実績としてはなく、再審査はもっぱら申立を中心に運用されてきたといえる。

ところですでにみたとおり、申立再審査においても徹底した申立主義は解釈上もとりえないし、規定も不十分であり、運用としても必ずしも適当であるとは考えられない部分があるので、その部分に対する補完として職権再審査を生かすことが現実的ではなかろうか、と考えられる。たとえば、前記の付帯申立を認めた方が適当な事案、不利益変更禁止にふれるべき性質のもので相手方の申立のない場合、さらには期間経過の申立で一定の事由ある場合、等申立再審査のなかで職権的取扱を考える余地があり、今後検討すべき問題である。

なお、法二七条一〇項は職権再審査の場合に限られていないのであるが、職権再審査の場合は同条九項（確定）との関連からみて再審査を開始する時期はおのずから制限されるであろう。

九　行政訴訟の手続

一　訴訟物

行政訴訟の対象は、労働委員会の命令（行政処分）であつて、使用者の不当労働行為ではない（中島・講座二巻四三七頁参照）。当然のことであるが、【58】の如き誤解を生むおそれもなくはない。【59】のように修正される。なお、争いうるのは、行政処分の違法のみで、その裁量内容の不当を争いえない（行訴特法一条）。

【58】　「職権をもつて原告の当事者適格につき考察する。本件訴旨は要するに原告は原告の組合員であり訴外東北電力株式会社秋田支店の従業員である訴外Mが、昭和二七年九月二四日を有給休暇として同会社から許可を受けたのに、同会社は後日に至り勝手にこれを取消し右当日の給料を支給しなかつたのを不当とし、右当日

の賃料の支払を求めるため被告に救済命令申立をしたところ、被告は右会社の有給休暇の取消は正当であるとして原告の申立を棄却したが、該棄却命令は不当であるからこれが取消を求めるというにある。おもうに労働組合の使命がその組織力により労働者の経済的地位を向上し、権利を保護するにあることはいうまでもないけれども現行法上労働組合はその労働者個人と使用者間の法律関係については、たとえ当該労働者が組合員であつても特段の事由のない限りはその労働契約（雇用契約）上の法律関係につき何等の処分権を有せず従つてまた訴訟遂行権も有しないといわなければならない。ところで本件の訴訟物は前記委員会のなした行政処分であるが、右行政処分の対象は訴外東北電力株式会社よりその従業員である訴外Mの昭和二七年九月二四日の賃銀に関するものであるから、右は使用者と労働者個人間の労働契約上の法律関係であると考えるのが相当である。そうだとすると右については原告に処分権がないこと前示のとおりであり、又原告に訴訟遂行権あることを認むべき特段の事由について何等の主張がない本件においては、原告は訴訟遂行権を有せず、従つて正当なる原告適格を有しないものといわねばならない」（東北電力秋田事件、秋田地決昭二八・九・一六労民集四・五・四三八）。

【59】「被控訴委員会のなした本件棄却命令の対象は、控訴組合の組合員Mが右支店に対して昭和二七年九月二四日分の賃金請求権を有するか否かにあるのではなく、同支店がMにおいて、有給休暇中争議行為をなしたとの理由で有給休暇の許可を取消し欠勤扱とした処理は、同人が組合の正当な行為をなしたことの故をもつて不利益な取扱をなしたものであるか、またこのような取扱が使用者たる組合の運営に対する支配介入となるかどうかの点（労働組合法七条一号及び三号違反の成否）に関するものであつて、控訴組合が右Mに対する賃金返還と使用者側代表者名義の確認書の交付を求めているのは、被控訴委員会が、右不当労働行為の成立を認め、有給休暇許可取消の撤回を命ずる場合の原状回復と将来の保障に言及しているにすぎないのであり、また元来本訴の訴訟物は前記Mと同支店との間の労働契約に基づく賃金請求権の存否ではなくて被控訴委員会が控訴組合に対してなした不当労働行為救済命令申立の棄却命令の当否であるから、本訴の当事者が適格を有するか否

かは、この訴訟物と右当事者との関係によつて決すべきであつて、控訴組合が前記Mの同支店に対する賃金請求権について処分権乃至は訴訟遂行権を有するか否かは当事者適格の有無を決するについて関係のない事柄であるといわねばならない。而して控訴組合が被控訴委員会に対し前記救済命令の申立をなし本件棄却命令を受けたことは前叙のとおりである以上、控訴組合がその組合員Mから同人の前記支店に対する賃金請求権について特別の訴訟委任を受けていないことは控訴組合の認めて争わないところであるが、かかる委任の有無に関係なく控訴組合自体が被控訴委員会を相手方として右棄却命令の取消を求むる本訴を提起するにつき法律上の利益を有し従つて正当な当事者適格を有するものといわねばならない」（東北電力秋田事件、仙台高秋田支判昭二九・一二・一三労民集六・一・七七）。

訴訟物は行政処分そのものの違法性であり、不当労働行為の成否ももちろんその行政処分を通じて争われることになるが、その争い方については見解がわかれるところであり、司法審査の項で後にふれる。

二　当事者

（一）　原告（労働者側）　(1)　不当労働行為制度の受益者たる労働組合ないし労働者が行政訴訟を提起しうるか否かについては、労組法二七条の規定の不備と相まつて、はげしい争いがある（積極説、柳川＝高島・争訟三〇七頁、斉藤・講座二巻三八〇頁、三五六頁、西・判タ一九・二七、田辺・討論八・一八、石井・労働法一八三頁、消極説、三藤・諸問題二一九頁、菊池＝林・労働組合法二九二頁、中島・講座二巻四三八頁）。不当労働行為救済制度の趣旨に対する理解の仕方の相異というほかないが、消極説の論拠は【60】のとおりである。

【60】　「(被告の主張)原告らは本来本件行政訴訟を提起することができないものである。およそ労働委員会が労働組合法二七条にもとづく労働者又は労働組合の救済申立を棄却又は却下した場合に、右申立人は行政訴訟を提起してその処分を争うことができないし、またその利益もない。

㈠本来行政訴訟を提起することができるのは、具体的に行政処分がなされたのに対しその違法を争う場合であつて、まだ行政処分がないのにそれを争うことができないのはもちろんである。しかし行政処分とは行政主体の単独の意思によつて法律上の効果を発生するものと定義されているが、労働委員会が労働者側の救済申立を棄却し、また中央労働委員会が地方労働委員会の棄却命令を維持したときは、そこに法律上の効果を生じないから、なんらの行政処分が存在しないのである。すなわち国民は行政機関に対してはその発動を促し得るのみで発動を強制し得ないことは行政法上の原則である。申立却下ないし棄却はその非発動を意味し、しかもそれは労働委員会の権限に委されたものである。従つて発動しないからとて訴訟の提起を許すとすれば、それは行政機関に対する国民の強制を許すことになる。労働組合法が二七条六項で使用者について行政訴訟を提起することができる旨を規定しながら、労働者側についてはこの点についてなんらの規定を設けていないのも右の理由にもとづくものである。もしそうでなければ同法二七条六項の定める三〇日の出訴期間は行政事件訴訟特例法五条の定める六ケ月の期間とははなはだ権衡を失することとなるのであろう。㈡仮りに労働委員会の棄却命令が行政処分とみられるとしても、労働者側はこれによつてあらたな不利益を受けるわけはないから、右命令を訴訟で争うことについてなんらの利益を有しないものといわなければならない。そのことは仮りに労働者側が勝訴判決を得て労働委員会の棄却命令が取消された場合を考えてもわかるのであつて、右取消によつて原告の権利関係になんの変化もないのである。㈢あるいは労働組合法は労働者に対して労働委員会に救済を申立てる権利を与えたものであつて、労働委員会はいやしくも不当労働行為が存在する以上申立人に対してなんらかの救済を与える義務があるから、労働委員会が棄却命令により当然に与えなければならない右救済を拒否したときは、これによつて申立人の権利を侵害したものであるといい、従つて右申立人はその場合裁判所に提訴して右侵害された権利を回復する利益があるというであろう（原判決理由）。しかし労働組合法が不当労働行為及び労働委員会の制度を設けて労働組合の保護をはかつているのは、国家が労働組合育成の見地から労働者の団結に対して特に与えたいわば恩恵のようなものであり、国家はその行政上の立場から右保護を与え、又与えないことができるのであつて、従つて前記労働組合法の規定も労働者に必ず救済を求め得るという権利を与えたものと解してはならないのである。なおあるいは労働者が労働委員会の申立棄却処分を行政訴訟によつて争い得る根拠として、労働委員会は右処分に対する取消判決が確定したときはその拘束力を受け労働委員会の命令の違法なことが確定されるというであろう(原判決理由)。しかし労働委員会が仮りに判決に拘束されるとしても、それはせいぜい裁判所の法律上の判断と相反する判断をすることができないというに止まり、判決と別の根拠にもとづいてあらたな判断をすることを妨げないのである。従つてこの点からいつても実益がないといわなければならない」(三井造船事件における中労委主張部分、東京高判昭三〇・一〇・二八労民集六・六・八四三)。

判例は【61】の如くすべて積極である。

【61】「憲法二八条は労働者の団結権、団体交渉その他の団体行動権を保障した。この規定は労働者の団結及び団体行動そのものを違法とすることなく、かえつてこれを権利としてなんぴとも侵害し得ないことを宣明したものである。これにより、労働者がこれらの権利の上に立つて自主的に使用者と交渉し、その地位の向上確保をはかることが期待せられることとなるわけであるが、国は今日の段階においてはなおこの団結権、団体行動権は国による特別の擁護助成を要するものとし、労働組合法において使用者によるこれら権利の不当な侵害を不当労働行為とし禁止するとともに、その違反については労働者又は労働組合に労働委員会に対して救済を求めることを得しめている。労働委員会は労働組合法にもとづき同法その他の法令に定める特別の職務権限を行うために設けられた国の機関であり、国の行政目的を達成することを任務とする行政機関であり、その権限の発動としてする処分が行政処分であることは疑いのない余地がない。しかして労働組合法二七条は不当労

働行為救済の申立があつたときは、労働委員会は事案について審査の上事実の認定をし、その認定にもとづき申立人の請求する救済の全部又は一部を認容し、又はその申立を棄却しなければならないとしているのであつて、その文言によれば不当労働行為の存することが認定されるならば、労働委員会は常に必ずなんらかの救済を与えなければならない法律上の義務を負うものであると解するのほかなく、これにかかわらず被告主張のように解釈しなければならないとする根拠たるものは、同法中ないしその他の法律中に存しないし、労働委員会が本来行政庁であるとの一事はもとよりかかる根拠たり得るものではない。この場合いかなる救済を与えるべきかは具体的には法の規定するところではないが、使用者の不当労働行為を排除して法の期待する労働者の団結権、団体行動権の保護助成に適するものであるべきことはおのずから明らかであり、ただいかなる救済方法が最もよくその目的にかなうかの判断、すなわち救済命令の内容の選択は労働委員会の裁量にまかせられているといい得るであろう（この場合にもその裁量にして法の目的に反するならばなお違法の処分たるを失わない）。しかしいやしくも不当労働行為の存するに拘らず、なんらの救済をもしないとすることは許されないところである。これを反面からいえば、法は労働者又は労働組合に対し、かかる権力の発動を要求し、この手続によつて団結権、団体行動権の侵害の排除をはかることを保障しているのであつて、この申立があるにも拘らず、労働委員会がなんらの権力発動をもせずこれを放置することはできないものといわなければならない。被告は労働者の救済申立を却下又は棄却する処分は行政権の発動のない状態であつて、行政処分というべきものではないという。しかし救済の申立があつて、審査の結果、救済を与えないことを最終的に決定することは、それ自体行政処分であつて、かように決定された場合をもつて、まだ救済を与えるかどうかを決定しない場合と同一視し得ないことは明白である。もし不当労働行為の存するに拘らず、この申立を棄却又は却下するならばそれは違法であつて、前記行政事件訴訟特例法にいう行政庁の違法な処分に該当することは明らかであり、取消訴訟の対象となるものといわなければならない。もつとも、法が一般の権利侵害に対する救済方法の外にこのような労働委員会による救済制度を設けたのは前記のように特に今日の段階においてそうするのが相当であるとしたからであつて、その救済は国の特別の保護であり、本質上は一種の恩恵で、これによつて労働者の受ける利益はその恩恵の反射的効果であつて本質的には権利といい得べきものではないということは必ずしも否定し得ないであろう。しかしとにかく、すでに国が今日立法政策としてかかる制度を設けている以上、労働者はこれによつて保護される法律上の地位にあり、その利益は法律上のものであるから、それがもともとは恩恵的であるというだけで違法な救済拒否処分に対する取消訴訟を否定することはできない。また取消訴訟においては違法な処分を取り消すだけであつて、これに代る処分を求めることを得ないことは権限の分配上明らかであるが、いつたん判決によつてその処分が取り消されれば労働委員会は同一の理由によつて再び申立却下又は棄却の処分をし得ないこととなり、あらためてなんらかの処分をしなければならないこととなるだけであり、行政庁が法に従つて行動すべき一般義務の状態に何物をも加えるものでないから、そのことの故に申立却下又は棄却の処分に対する訴訟を許すことが、行政権に対する国民の強制を許すこととなるものとは解し得ない。労働組合法二七条六項は使用者につき労働委員会の命令に対し行政訴訟を提起し得ることを規定し、労働者又は労働組合については同条一一項に「この条の規定は労働組合又は労働者が（中略）訴を提起することを妨げるものではない」と規定するに止まる。被告はこれをもつて労働者には民事訴訟のほかは労働委員会の処分に対する行政訴訟を許さない趣旨であるとするけれども、失当である。右六項は使用者が行政事件訴訟特例法によつて本来有する訴訟提起の権利を当然の前提とし、ただその出訴期間その他の要件の特則を定めたものに過ぎず、これによつて使用者だけ特にあらたに行政訴訟提起の権利を与えた趣旨でないことはその規定の文言上も明らかであつて、そのほかに労働組合又は労働者が行政訴訟を提起し得るかどうかは、この条項自体からは決せられないのである。もしこれを許さぬとすればその旨明文をもつて規定せられなければならないのに、むしろ右第一一項が「訴」といつて民事訴訟に限定することをしないところからすれば、これをもつて労働者に行政訴訟の提起を許さぬ根拠とすることはできない。ただかく解すれば労働者の提起する訴と使用者のそれとの間に、特に出訴期間の点において権衡を失するもののあることは被告所論のとおりである。しかし使用者の訴の対象となるべき労働委員会の命令は直接使用者に対しなんらかの措置を命ずる救済命令であり、この命令は法の目的とする不当労働行為排除に向けられているものであるから、事の性質上長く未確定のまま放置することを許さないものであることを考えれば、その出訴期間の定めは法の深き考慮に出た独自の理由にもとづくものであることが了解せられるのであつて、このことの故に前記結論を左右し得べきものではない。これを要するに労働委員会の救済拒否処分が行政訴訟の目的たり得ないものとする被告の所論は理由がない」（三井造船事件、東京高判昭三〇・一〇・二八労民集六・六・八四三、同旨東芝事件、東京地判昭二七・七・二九労民集三・三・二五三、品川白煉瓦事件、東京高判昭三一・九・二九労民集七・四・八七五等）。

(2)　つぎに労働者側には法二七条六項の如き規定を欠くから行政訴訟上の原則たる訴願前置（行訴特法二条）主義の適用をうくべきである【62】ということである。

【62】　「労働組合法二七条一一項は、不当労働行為の救済申立を棄却する地方労働委員会の命令に対する労働者側の不服方法について、中央労働委員会への再審査の申立と訴の提起とを選択的に認めたものではなく、労働者側が右棄却命令に対し訴を提起するについては、行政事件訴訟特例法二条に従い、まず中央労働委員会への再審査の手続を経由すべきであること、従つて再審査の申立期間内にその申立をしない場合には、同条但書の適用がある場合を除き、もはや右命令に対し訴を提起することが許されなくなることは、原審の判断するとおりである。所論は、労組法二七条六項をもつて中央労働委員会への再審査の申立と訴の提起とを選択的に認める意味において訴願前置主義の例外をなす規定と解すべき以上、同条一一項についても同様に解すべき旨言為するが、同規定が労働者側の不服につき右二つの方法のいずれかを選択的に採り得ることとしなかつたのは、不当労働行為救済制度における使用者側と労働者側との地位の差異にかんがみ、労働者側の不服については行政救済に関する一般原則によらしめるのを相当とするにあるものと解すべきであつて、所論のように解さ

なければならないとする理由はない」(東北電力秋田事件、最判昭三四・六・二六民集一三・六・八二一)。

(二)　原告(使用者側)　使用者は、労組法二七条六項による行訴特法の例外として、地労委の命令を直接裁判所にも提訴しうるし、再審査を経ても提訴しうる。いずれも三〇日以内で行訴特法の六カ月の例外をなす。

(1)　労働委員会の命令でときどき支店等が表示されるが(労働委員会の取扱いについては「申立の相手方の項参照)、これについては【63】とせられる一方、労働委員会命令の名宛人以外でも訴権を有する場合【64】がある。

【63】「まず職権をもつて原告支店に原告としての訴訟当事者能力があるかどうかにつき考えるに、原告支店は原告会社の支店であるところ、支店は会社の営業所の一つで、法人である会社自体の組織の一部を構成するにすぎず、それ自体、法律上独立して権利義務の主体となりえないものであることが明らかである。従つて原告支店は訴訟当事者能力を有しないから、その提起した本訴は不適法であつて、これを却下すべきものである」(日通会津若松事件、福島地判昭三〇・一一・一二労民集六・六・八八七)。

【64】「右の如く本件救済命令は、控訴会社社長Yに対して、なされているのであるから、控訴会社が果して右命令の取消を求める本訴において、正当な当事者たる適格があるかどうかを考えて見るに、不当労働行為救済の申立の相手方となるべき者は、使用者であることは明かであり、ここに使用者というのは会社の場合にあつては、会社そのものを指し、現実に行為をした社長その他の個人をいうのではない。ただ本件の場合においては控訴会社代表者たる社長が行為者であつたために、右のような厳密な区別をすることなく、同社長を申立の相手方とし、これに対して救済命令が出されたものと見られるから、それは控訴会社に対する趣旨でなされ

たものと解するを相当とし、従つて控訴会社から提起した本件訴訟は適法である」（山岡内燃機事件、大阪高判昭二七・八・二二労民集三・四・三〇四）。

(2)　労働委員会命令の名宛人会社が命令履行後他会社と合併した後に、名宛人会社名で提訴した場合の判断としては【65】があり、当該名宛人会社は訴権なしとされている。

【65】　「記録によると本訴は昭和二八年十月二十六日に提起せられたことが明らかであるところ成立に争のない乙第六号証によると原告会社は株式会社K商会、株式会社Y鉱業と合併して株式会社K鉱業所が設立されたので同年一〇月一九日解散し、同日付を以つて解散登記が為されていることが認められる。そうすると本訴提起当時に於いては原告会社は既に解散して存在しなかつたものである。原告はこの点に関し、同年六月一〇日合併前の右三会社の間に於いて、合併後も本件争議事件の処理は、原告会社の負担事項とし、原告会社が処理解決する旨協定が成立し、同年九月三〇日の創立総会に於いて附議され、承認議決されたと主張するが右事実を認めるに足る証拠はない。仮りに右三会社の合併契約に於いて本件争議事件の処理を原告会社に委ねる趣旨の特約が為されたとするも、右特約は無効というべきである。思うに商法一〇三条によれば会社合併の場合に於いて合併により消滅する会社は、合併と同時に人格を失いその権利義務は合併後存続する会社又は合併により設立された会社に法律上当然包括的に承継せらるべきものであつて、合併契約において合併により消滅する会社の権利義務の一部を留保してその範囲で同会社を存続せしめるという特約を締結しても右は合併の本質に反するものとして無効といわなければならない。原告は、前記合併契約においては原告会社が本件争議事件の処理を担当することを契約の要素としたのであるから、合併により原告会社が法律上当然に消滅するものとすれば右合併契約は無効というべく（現在株式会社K鉱業所の合併設立無効の訴が東京地方裁判所に係属中である）、原告会社は存続している、と主張するけれども、合併設立無効の効果は法律上右訴に基づく確定判決があつて始めて発生するものであるから前記合併無効の確定判決があつたことの主張なく、又右事実を認めることの出来ない現段階に於いて合併無効を前提にする所論は採用できない。そうすると原告会社は本訴提起当時

に於いては既に存在しなかつた訳であるから、本訴は更に進んで判断を加える迄もなく不適法として却下すべきものである」(勝光山鉱業所事件、広島地判昭二九・二・一八労民集六・一・一〇九)。

(3)　使用者側の訴の利益に関し命令適用の基盤を失なつたときどうなるか、について、結果は却下で同一であるが若干ニュアンスの異なる【66】【67】があり、これらの考え方は後記【74】【75】と類似の事実関係について、立論を異にしているのが注目される。

【66】　「しかしながら、行政処分が適法かどうかの問題と行政処分がなされた後の事実状態の変更によつて処分の取消を求める利益が失われるにいたつたかどうかの問題とは全く別個のものであつて、訴の利益のあるかどうかということは、口頭弁論終結の時を基準として判断すべき訴訟要件に当るものといわなければならない。よつて、本件において上記のような事実状態の変更があつたにもかかわらず、処分取消の利益がいぜんとして存続しているかどうかについて考えてみる。被控訴人のなした本件命令は、初審労働委員会がなした被解雇者であるO、S両名の原職復帰と解雇の翌日から原職復帰に至るまでの給与相当額の支払を命じた救済命令を維持し再審査の申立を棄却したものである(以下被控訴人のなした右命令を単に本件救済命令という)。ところが、右両名の復帰すべき原職は前記のとおりいわゆる基地廃止による閉鎖で既に存在しなくなつたばかりでなく、予備的解雇によつて控訴人に右両名との間にはもはや雇用関係が消滅していることは、当事者間に争がないところである。本件救済命令のうち原職復帰を命じている部分は、現在においては実現不可能なことを内容としているものであり、また給与相当額の支払を命じている部分については、原職復帰の可能なことを前提とするものと解せられるので、原職復帰が客観的に実現不可能となつた現在においては、もはや控訴人として右命令に服しようがないわけで、この点に関する限りでは、命令違反の問題も考えられないのである。従つて、本件救済命令は右事実状態の変更によつてその内容に即した拘束力を失うに至つたもので、控訴人に対し

何等の義務や負担を伴うものでないと解されるから、控訴人としてはこのような拘束力を失つた本件救済命令について、その取消を求める利益も必要もないものといわなければならない。ことに、本件救済命令が適法であると本件控訴で確定したとしても、それはたんにそのことを確定するに止まつて、それ以上前記両名に対する解雇が有効であつたかどうかを確定するものではないから、本件救済命令の取消を求める利益を否定しても、控訴人の利益を害することにはならない。もつとも、控訴人が本件救済命令に従つて、すでに前記両名に対し右のような事実状態の変更を生ずるに至るまでの間に給与相当額を支払つてきたことは、本件弁論の全趣旨によつて明かである。右給付した金額を不当利得として控訴人が返還を求め得るかどうかの問題が考えられるが、これは、前記両名に対する解雇が有効であつたかどうかと、前記両名がその間現実に労働に従事したか、或は控訴人において前記両名に労働に従事させなかつたかどうかということ等によつてきまるので、本件救済命令が取消されるかどうかには関係がないといわなければならない。よつてこの点からしても、救済命令の取消を求める利益があるものと断定することはできない。なお、控訴人は本件救済命令が確定判決によつて支持されるときは、労働組合法二八条の適用によりその違反に対して刑罰を以つて強制される建前になつているので、これが取消を求める利益がある旨主張するけれども、本件救済命令の発令後O、S両名の復帰すべき原職がなくなり且つ予備的解雇を右両名が承認しているので、右原職復帰はもはや客観的に実現不可能なことであるから、原職復帰と、その可能なことを前提とする給与相当額の支払を命じた本件救済命令については命令違反の問題を生ずる余地はないし、それ以前においては、控訴人が本件救済命令を履行していたことは弁論の全趣旨によつて認められる。その上、O、S両名に対する法律上の使用者は国（控訴人）であるところ、国家は刑罰権の主体であつて客体ではなく、国が国に対して刑罰を科するということは無意義のことに属するところであるから、控訴人が本件救済命令の違反に対し刑罰を科せられる建前になつているので、上記のような事実状態の変更があつても、少くとも本件においては救済命令の取消を求める利益があるとする控訴人の主張は到底採用できない。また、控訴人は本件救済命令がいやしくも形式的に存在しており未だ確定していないのであるから、それがその後の事実状態の変更により実質的にはこれに添う効力を有しないのであれば、抗告訴訟でその旨を司法権により確定してもらうについて法律上の利益がある旨主張する。しかし、本件救済命令が形式的に存在していても、現在においてはもはやその内容はすでに当事者を拘束する効力を失つているのであるから、本件救済命令の形式的存在は何等控訴人に不利益をもたらすものでないので控訴人の右主張も採用できない。その他本件に顕われたすべての証拠によつても、上記のような事実状態の変更があるにかかわらず、現在においてなお、控訴人に本件救済命令の取消を求める法律上の利益を認めなければならないような事情は、これを肯認するにたらない。してみると本件救済命令の取消を求める控訴人の本件訴は、訴訟要件を欠く不適法なものであるから、その実体についての他の争点について判断するまでもなく却下を免れない」（兵庫駐留軍事件、東京高判昭三四・一〇・二四労民集一〇・五・九二八）。

【67】「被告はこれを昭和三〇年(不)第八号不当労働行為救済申立事件として審査した上、昭和三一年三月三〇日付を以て「使用者は共栄会に対する経費援助を停止しなければならない。申立人のその余の請求は棄却する」との命令を発し、同日該命令書を原告に交付したことは当事者間に争の存しないところである。ところで原告は右共栄会に対する原告の右援助は訴外組合に対し何等支配介入と為らず、又かかる意図の下に行つてきたものではない旨等を主張して右救済命令の取消を求めて係争中、右訴外組合が昭和三三年八月二四日、右共栄会が同年同月二九日それぞれ解散し、両者が合して新労働組合を設立するに至つたことも亦当事者双方に争のないところである。そうすると「使用者は共栄会に対する経費援助を停止しなければならない」との被告の発した右命令は、原告に命ぜられた不作為の相手方たる右共栄会が解散して消滅してしまつた今となつては、原告がそれを遵守しようにも遵守するに由なく又違背すべき可能性も生じ得ないところとなり、たとえ右命令が存続するものとしても、原告にとつて何等の義務或は負担を伴うものではなく全く羈束すべき内容を失い形骸を

残すに過ぎない状態となつたものといわねばならない。かような事態はもはや命令を存続せしむべき必要性が無くなつたと言い得ることは確かであるが、一般に行政処分庁によるその処分の取消変更は、処分に違法が存するとか或は処分後その処分の存続が不必要となつた等その処分により一応現に有するものとされる執行力の全部又は一部を排除せんが為に為されるのであつて、本件の如き当初有した羈束すべき内容を全く失い現に執行力を持ち得ざるに至つた場合にも常に行政処分庁は命令の存在自体の取消を行うべきものであろうか。かような法的根拠乃至は行政慣行が存すると見ることには躊躇せざるを得ない。かような排除すべき執行力をも有しない命令はその存在の取消変更を為すべき実益すら存しないと見るべきであろうし、もとより執行力を失うに至つたが故に該命令の存在自体が命令を違法ならしめるに至るとは言い得ない。そうだとすれば執行力を有しない本件命令が存在することには何等違法とすべきところはないのであつて、却つてかような命令の取消を求める法律上の必要ないし利益が存在しないものといわなければならない」（近畿電気工事事件、大津地判昭三三・一〇・二一労民集九・五・六四九）。

(三)　被告　　被告は命令を発した労働委員会である。使用者労働者労働組合でないことは訴訟物からして明らかであるが、現実の訴訟の運用の如く不当労働行為の成否そのものが司法審査の主たる対象をなすような観を呈する現状からすれば、補助参加を義務付けるような法的措置の必要も感ぜられてくる。

初審命令を認容（再審査申立を棄却）した場合の被告については、議論があるが、再審査命令委員会とされる（三藤・諸問題二二八頁、石井・労働法一八三頁、中島・講座二巻四三九頁、和田＝吾妻・註解五〇二頁、千種＝田辺・労働裁判下一九八頁）。反対論（柳川＝高島・争訟三一一頁）つまり中労委・地労委いずれの労働委員会でも差支えないとする論拠は、一般の行政訴訟の原則（田中二郎・行政法上三四九頁、雄川一郎・行政争訟法一七一頁参照）は処分庁とされているし、中労委地労委いずれも処分をした行政庁であり、しかも法二七条五項で中労委が取り消し変更しない限り地労委命令が有効と解されるばかりでなく、とくに労組法で一般原則を制限した規定はないと解されるし、法二七条六項は単に訴願前置の例外のみを規定したものと解されるる、というにあろう。法二七条六項については双方になしうるという反対論の考え方に反する【68】の判例がある。

【68】「ところが本件において申立人が執行停止の申立をしている被申立人京都府地方労働委員会の命令については取消訴訟が提起されていないのみならず、右命令に対しては、申立人からすでに被申立人中央労働委員会に再審査の申立をなし、かつ、その申立は棄却されたのであるから、そもそもかかる場合においては、申立人においてもはや被申立人京都府地方労働委員会の命令に対して取消訴訟を提起する余地のないことは、労働組合法二七条六項の規定に照して明らかである」（弥栄自動車事件、東京地決昭三四・一二・一五労民集一〇・六・一〇五一）。

三 司法審査の範囲

行政訴訟の訴訟物が行政処分そのものであるところから、行政処分を違法というためには、行政処分の成立の基礎となつたもので、命令主文を左右するにたる違法が、司法審査で調べられるべき事柄である、といわねばならない。成立の基礎としては、まず、手続、その手続に基づいて形成された不当労働行為の成否、不当労働行為の判断から生ずる行政的裁量の限度、等である。いずれの場合もその違法を判断するに当つての基準時が問題となる。基準時の問題は司法審査の範囲の問題とは別個に司法審査の基準時点の問題として取り扱われるのが普通であるが、実は重なり合つた問題なのである。一応は分けて判例をみていくこととし、そのなかで問題点を指摘したい。

（一）　事項的範囲　(1)　まず手続については異論を余りきかない。手続規定の改廃に際し、新規定からいえば違法、ないし新規定からみれば適法だけれども当時の手続規定からいえば違法、という問題等が一応考えられる。

前出【41】は労働委員会の手続違背を理由に取り消したのであるが、ただいかなる程度の手続違背をもつて取り消す程の違法と考えるべきか、については、単に審問を経ないという形式的理由だけでなく、不当労働行為の成否を左右するに足る手続違背を問題にすべき性質のものだろう（同旨、柳川＝高島・争訟三二五頁、中島・講座四四〇頁は、救済命令は、審問を経ないだけで直ちに違法となるといわれる）。

しかし【41】のように審問を要件として要求されると、これに伴なう司法審査の内容も限定されてこざるをえないのではなかろうか。つまり、労働検察の如き制度で一方的取調べに基づいて裁判所にいわば起訴されたようなものであれば、不当労働行為の成否そのものが争いの対象となるような観を呈するのもあるいはやむをえないと思われるが、裁判所の証拠調に近い程度の公正さと慎重さ（場合によれば慎重すぎ、ことに再審を経ればでるべきものはでつくしているのである）をもつて調べられているばかりでなく、そのことを適法の条件として要求されている状況なのである。

(2)　このような状態のなかでの、不当労働行為の成否についての判断の違法、つまり不当労働行為でないものを不当労働行為として判断した、あるいはその反対、を調べるにあたつての裁判所の審査の仕方については、当然公式論（憲法三二条七六条裁判所法三条二項等により不当労働行為の存否は最終的には裁判所が決するという）だけではすまされないものをふくんでいるが、従来【69】のような判決がつづいてきた。手続の違法として結果を左右するにたる取消事由がないとすれば、適法な手続内での判断に結果を左右する違法があつたか否かが、まずその審査手続内にあらわれたもので、調べらるべきである。新しい証拠を取り調べるにあたつても、新証拠が何故審査手続内で取り調べられなかつたか、をまず問題にすべきであろう（石井・労働法一八三頁は行政訴訟で不当労働行為の内容にわたつても審査しうるとされるが、以上のような趣旨を排斥しておられるとは解しえない。兼子・審決の司法審査（岩松判事還暦記念論文集）は【70】の中労委主張と同旨）。

【69】「ひとつにはこういう考え方もある。労働委員会の処分は執行機関としての行政庁の処分とは異り、準司法的権限に基づいて審問手続を行い、相対立する当事者間の争訟の形で、両者に主張ならびに立証の機会を与えて、事実を明かにした上で、その処分を決定し、特に手続について調書を作ることも義務づけられる。その提出された証拠に基づきどう認定するかは労働委員会の自由になし得るところであつて、事実認定の違法を争い得るのは、上告の場合の「法令違背」と同じように、虚無の証拠を採用したとか、証拠の採用の法則を誤つたような場合だけに限られるのであつて、労働委員会の命令に対する行政訴訟においては、委員会のなした事実認定における実質的証拠の有無というような点を事後的に審査するに止め、それ以上に自ら証拠調を行い、その結果によつて委員会の事実認定の当否を判定すべきではない。私的独占の禁止及び公正取引の確保に関する法律八〇条には公正取引委員会の審決の不服申立につき、裁判所が裁判するに当り、「公正取引委員会の認定した事実は、これを立証する実質的証拠があるときには、裁判所を拘束する」と規定しているのは、この当然の理を明かにしたものであつて（八一条乃至八二条参照）、労働組合法にはこのような規定はないが、これと同様に解すべきであると。しかし労働組合法には右八一条ないし八二条のような規定がないこと、また労働委員会においては構成員の資格が公正取引委員会などに比して厳重でないこと、裁判所の審判の範囲を独占禁止法のように限定する場合には独占禁止法七八条のように労働委員会に対し当該事件の記録の送付を求めるなど証拠調の手続などにつき明文の規定がなければならないが、この種の規定のないことなどから考えれば、

労働組合法の法意は、右独占禁止法の場合とは異り、一般行政事件の違法の処分の判断と同じく裁判所は新に独自の証拠調を行つて事実の認定をなし、その認定に基づいて、右委員会の事実認定の当否を判定し、右処分の適法性を判断し得ることにしたものと解されねばならない」（東芝事件、東京地判昭二七・七・二九労民集三・三・二五三）。

労働委員会（中労委）の主張はさらに【70】となるが【71】とせられる。

【70】「……は被告委員会の審査においても初審神奈川県地方労働委員会においても主張されなかつた事実である。そして原告は右のような新たな事実をあげて被告委員会の事実認定を攻撃しているが、本件行政訴訟においてはかかる主張は不適法である。なんとなれば原告のような態度を容認すれば使用者は労働委員会において事実の全部又は一部を黙秘し行政訴訟の段階に至つてはじめてこれを主張立証して労働委員会の処分を覆し、もつて命令の確定を遅延させることができるので、かかる事は現行不当労働行為制度の本旨を無視するものだからである。労働委員会の処分は労働委員会の審査において適法に審査認定された事実に基づくべきであつて、当該審査において主張されなかつた事実は職権による場合を除きこれを処分の基礎にとることはできない。従つて労働委員会の処分を行政訴訟において攻撃しようとすれば、当該事件の審査において原告はかくかくの事実を主張し、それについてかくかくの立証を行つたにかかわらずこれを容れなかつたという点を攻撃しなければならない」（キャンプ淵野辺事件における中労委主張部分、東京地判昭三〇・九・二〇労民集六・五・六〇七）。

【71】「労働委員会が不当労働行為事件に関してなす処分はいわゆる準司法機関としての権限に基づくものと解すべきであるが、使用者が労組法二七条六項の規定に基づき中央労働委員会の発した命令に対して行政事件訴訟特例法の定めるところにより訴訟を提起して争う場合には裁判所は右命令について手続上の瑕疵の有無はもとより事実認定又は法令の解釈適用等の当否を審査するものであつて、この場合の認定は労働委員会のなした事実認定に拘束されることなく、独自の権限に基づいてこれをなし得るものと解するのが相当である。蓋し裁判所のなす事実認定が労働委員会のなしたそれに拘束されるとするには、私的独占の禁止及び公正取引の

確保に関する法律八〇条ないし八二条のような明文によつて別段の規定のあることを必要と解すべきであつて、このような規定が労働組合法その他の法律に見出せない以上労働委員会の命令においてなされた事実認定に拘束さるべき理由はないのである。従つて裁判所は一般の行政処分の適法であるか違法であるかを判断する場合と同様に労働委員会の審査の過程で提出されなかつた訴訟当事者の新たな主張と証拠の提出は許容さるべきであり、その証拠調の結果により事実の認定をなし労働委員会のなした事実認定の当否を判断し得ると解するのが相当である。よつて右に反する被告の主張は採用しない」（キャンプ淵野辺事件、同前）。

思うに、労働委員会側は、不当労働行為の新主張、新証拠は司法審査の対象たりえず、あるいは労働委員会の事実認定は司法審査を拘束する、という形の主張だつたから、形式論としてはあるいは【69】【71】の如くならざるをえなかつた面のあつたことは否定できない。問題は新証拠、新主張ないしは同一証拠に対する司法審査の仕方なのであり、不当労働行為の成否が争われるのも行政処分におけるないしは行政処分を通じての不当労働行為の成否なのである。東京地裁の後述の基準時に関する考え方を、そのままこの問題にあてはめれば「被告の判断の後に（立証）され、従つて被告の判断には関係のない（立証、新事実）が、被告の判断の適否に影響があるとは考えられない」（後出【75】カッコ内は筆者差替え挿入）ということなのである。

この意味で、新証拠は調べるべきであつたのに調べなかつたことが違法と関連をもつ意義を有し、同一証拠はまず証拠価値という観点から審査さるべきであろう。したがつて審査の基準時の問題は必然的に審査事項の問題と結びつくのである。あくまで行政処分が成立したときの状況で違法なりや否やを決すべきこと【72】【75】と同様なのである。

(3)　主文にあらわれた裁量の可否ももちろん審査の対象であり同様の観点からみらるべき性質のものたること当然である【72】。この場合裁量の不適当であつたこと（行政処分の不当）は問題となりえず、あくまで違法たることを要すること当然である。

【72】「行政処分の取消を求める訴においては、その処分の適否の判断は、口頭弁論終結当時の事実を基礎とするのではなく、もつぱら処分当時の事実を基礎とすべき筋合であるから（最高裁昭和二八年一〇月三〇日言渡判決、行政事件裁判例集四巻一〇号二三一六頁参照）、本件においても、前記の如き救済命令を発する必要が存するかどうかは、もつぱら命令当時の事実を基礎として判断するのが当然である。よつて、右救済命令を発した当時これを発すべき必要があつたかどうかにつき按ずるに……を綜合すれば、被控訴会社としては、すでに控訴委員会が本件救済手続のため審査を開始したので、余儀なく前記差別的取扱を解消したものであり、本件救済命令のなされた昭和三二年二月一四日当時においては、もし右救済命令がなかつたとすれば、将来も再び右差別的取扱を繰り返す危険が多分に存在し、したがつて控訴委員会としては、当時右命令を発する必要がまさに存在していたものと認めるのが相当である。……それ故、控訴委員会が発した本件命令書主文第一項（被申立人は従業員の賃金支払について申立人組合員と臨時工たる非組合員との間に自今遅速の差別を付けてはならない―筆者註）の救済命令は未だこれを違法ということを得ない。……しかして、上来説示したところによれば、被控訴会社の前記行為が法七条二号に該当することは明白であり、かつ本件救済命令の当時、本件命令書主文第二項および第三項（主文第二項―被申立人は団体交渉に当つて申立人が交渉権を委任した栃木県労働組合会議及び栃木地区労働組合会議から派遣された者との交渉を忌避してはならない。主文第三項―被申立人は従業員の労働条件その他に関する労働協約について申立人が申入れた団体交渉に応じなければならない―筆者註）の如き命令を発する必要があつたことも肯認できるから、右救済命令は未だこれを違法と目するに足りない（なお、本件命令書主文第三項は、その表現が適切を欠く憾みはあるけれども、右命令書中に記載さ

れた当事者双方の主張と控訴委員会の事実認定および判断を参酌してこれを読めば結局、右第三項は、被控訴会社に対し、職場再編成等従業員の労働条件その他に関する「労働協約」につき、補助参加組合から申し入れた団体交渉に応じなければならないことを命じた趣旨であると解すべきことは容易である)。……ところで本件命令書主文第四項（被申立人は臨時工Ｉの副班長の職を解任し申立人組合員の中から副班長を任命すること―筆者註）は、右不当労働行為につき、原状回復の措置として、被控訴会社に対し、Ｉの副班長の職を解任し、補助参加組合の組合員の中から副班長を任命することを命じているのであるが……によれば、右Ｉは昭和三一年一〇月中旬前記副班長の職を辞退し、被控訴会社もこれを承認したこと、被控訴会社においては、本件救済命令の発せられる以前、すでに副班長の制度を廃止していたことが認められる。しからば、右副班長の任務について原状回復の措置を命じた前記救済命令は、当初から、その容体を欠き、事実上無意味ないし不可能なことを命じたものというの外なく、したがつて右命令はこれを違法といわざるを得ない。控訴委員会は、たとえ右の如くＩが副班長の職を辞退し、被控訴会社が副班長の制度を廃止しても、既往の不当労働行為は消滅しないから、控訴委員会としては、これに対し原状回復を命ずる利益がある旨主張するけれども、原状回復を命ずる利益があるとしても、それに相当する命令（例えば、被控訴会社に対し、不当労働行為をした事実を承認する旨の文書の差入を命ずるが如き）を発するのは格別、本件の如く、内容自体が事実上無意味ないし不可能に属する事項を命ずることは許されないというべきであるから、控訴委員会の右主張は採用出来ない」（栃木化成事件、東京高判昭三四・一二・二三労民集一〇・六・一〇五六）。

（二）　時間的範囲　通常行政処分違法判断の基準時の問題として論ぜられる。【73】は行政処分後に起つた新しい事態が、前の不当労働行為を、そうでないとする結果をもたらした、として違法と考えたのかどうか不明であるが、これは不当労働行為と判断した行政処分が、その判断の材料にならなかつた新事実によつて違法となる、という意味において正当でない。結局【74】【75】のとおりであるが、前記のように【66】【67】の考え方も立ちうる。

【73】「被告が昭和二四年九月一〇日原告に対しその主張の如き命令をなしたことは、当事者間に争がない。然るに参加人Mは、昭和二五年六月二三日原告に対し原告がさきに同参加人を整理解雇したのは正当解雇であつたことを認め、右命令書記載の同人の地位権利は当初から存在しなかつたことを承認した事実も亦当事者間に争のないところである。されば同参加人は右解雇につき原告の不当労働行為を主張して、その救済を求むる権利を拋棄したものと認められるから、本件命令はMに関する部分においては既にその基礎を失うに至つたものというべく、従つて右命令は、Mに関する限り全部これを取消すべきものである」（香川運送事件、高松地判昭二五・九・一九労民集一・五・九〇〇）。

【74】「控訴人の予備的解雇についての主張につき考えるに、Hの勤務先であつた米軍基地沢の町モータープールが廃止となつたので、控訴人がHに対し昭和三二年九月三〇日をもつて解雇する旨の意思表示をしたことは当事者間に争がないけれども、本件は、Hの解雇が不当労働行為となる旨の労働委員会の審決の取消を求むるものであるからたとえその後右の事情の下にHが解雇されたとしても、それは何等本件に影響を与うるものではない」（沢の町モータープール事件、東京高判昭三四・六・一六労民集一〇・五・五〇五）。

これの原審判決はこの趣旨をもつと叮嚀にふえんしている。

【75】「しかし、本訴においては、大阪府地方労働委員会の救済命令に対する原告の再審査申立を棄却した被告の判断に取り消さるべき違法の点があつたかどうかが問題となつているのである。従つて被告の判断した当時において原告の再審査を棄却したことの適否のみが問題となり、被告の判断の後になされ、従つて被告の判断には関係のないHの予備的解雇が被告の判断の適否に影響があるとは考えられない。また被告の支持した大阪府地方労働委員会の救済命令から考えても、右命令は原告がHに対し昭和三一年三月三一日なした告知に対

する具体的な措置としてなされたのであるから、原告がその後Hに対してなした予備的解雇の事情の如きは、原告において右命令をどの程度履行したら右命令に違反しないことになるかどうかの問題には関連があるけれども、右命令の適否には関係がないものという外ない」（同前事件、東京地判昭三三・五・二六労民集九・三・二九八）。

四　司法審査の結果

（一）確定判決支持の命令　行政訴訟の判決により労働委員会の救済命令が確定すれば、この違反は確定判決支持命令違反として禁固または罰金という刑罰をうける。これについては、法人は犯罪能力なし、とする大陸法系的な考え方から、法人に適用出来ぬ（後出緊急命令違反の過料に関する【84】の傍論部分）とする考えが有力であるが、その性質上禁固は考えられないにしても、法三一条二項が法三〇条三一条一項の違反に対して役員だけを処罰しているのを法人自体の処罰をとくに除外したものと解し、一般には法人に財産刑を科しうるものと解すべきであるとする見解もある（木村亀二・刑法総論法律学全集40、一四八頁）。

しかし、今まで確定判決支持命令違反の罰則適用が問題となった事例はない。過料とは異質の、刑罰の制裁たることのほかに、ここまでくれば緊急命令制度もあることではあるし、もはやすべてが解決している状況になっているからである。

（二）命令が取消された場合　(1) もし判決により労働委員会の命令が取り消されたらどうなるか。これについては、再びこれをやり直す必要がある、とするものが多い（石井・労働法一八三頁、柳川＝高島・争訟三三二頁、和田＝吾妻・註解五一二頁、中島・講座二巻四四一頁、三藤・諸問題二三九頁）。判例【76】もまたそう考える。

【76】「棄却処分に対する取消判決が確定した場合も、これにより直ちに解雇が取消される等の効力を生ずる

ものでないことは、被告の主張するとおりであるが、労働委員会は確定判決の拘束力をうけ、労働委員会の右命令の違法なことが確定せられ然も以後労働委員会は同一事件につき、同一の理由で救済の申立を拒絶し得ないこととなり（行政事件訴訟特例法一二条）、その結果として労働委員会は申立に対し更に手続を進めて命令を発する義務を負うものと解するのが相当であるから、原告等は労働委員会の救済命令拒絶の命令に対し取消判決を求める訴の利益を有すること明かである」（東芝事件、東京地判昭二七・七・二二労民集七・四・八七五）。

(2)　しかしこれには有力な反対説がある。事件の差戻し制度（特許法一八一条二項の如き）がない限り、当然には労働委員会に行政処分をする義務が生ずるとは解しえない（斉藤・講座二巻三八一頁、大風・制度と手続一四七頁）とするものである（この点の考え方の紹介としては佐藤忠好「中労時報」三四六号参照）。

取り消すための理論としては一応「やり直し」説が筋がとおっていると考えられる。しかし実務上はその必要の生じないのが現状であるとすれば、消極説に近く考えざるをえないのではないか（三藤・諸問題二三九頁はやり直し論に立ちながら実務上の難点を指摘されている）。事実、取消された事件を労働委員会で再び審査しなおしたという事例をきかないし、中労委規則もそのような再審査手続を予定していない。実際は判決確定までに労使関係がすっかり変化している場合がほとんどで、いまさらやりなおす基盤が労使双方に全く失なわれており、かつまた、判決が事実上行政処分と同じ結果をもたらしてしまっているのである。そのような事態のもとでは、再び審査をやりなおす必要も実益もほとんどないといわねばならない。もちろん、当事者の方で要求したり、とくに労働委員会の方で必要ありと認める事態になれば、特別の手順として考えられればよいのである。

⑶　ここで、行政訴訟での取下げおよび和解について、若干問題点だけを指摘しておきたい。原告の訴の取下げは労働委員会の命令の確定を結果する。それは「命令の効力とその違反」の項でのべたとおりの効果をもたらす。問題なのは、取下げが労使の和解による場合であり、ことに、労働委員会の命令を一部履行しないような了解が労使ならびに労働委員会の間で成立する場合、形式的には問題が残る。しかし、すでに【67】【73】【74】でみたところおよび後記【85】でみるところからすれば、そのような状態の労使関係は、命令の形式的適用の基盤を失なつたとみてよいことが多く、したがつてそのような場合、法二七条九項の不履行通知義務も消失すると解してよいだろう。取下げの原因または和解の原因が命令の履行を必要ならしめるような内容であつた場合は、話は別になる。

原告たる使用者と被告たる労働委員会との間で和解が成立する場合がある（万座硫黄事件、東京高裁二九(ネ)一四〇、国華タクシー事件宇都宮地裁三五行一）。議論としては、労働委員会の行政機関としての性格上ありえないとの考え方もたしかに筋のとおつた考え方であろう。しかし成立した「和解条項」の解釈としては、労働委員会が命令の形式的適用の基盤を失なつた労使関係の現状の確認を行なつたというほどの意義を認めるほかないもの、と思う。以上のような意味で、労働委員会は、労使関係の現実の流れのなかに立つて、適正な労使関係の形成ないしは労働者保護の目的に役立つ限度において、場合によつてはみずから和解の当事者となることも許されると考える。

一〇　緊急命令と執行停止

一　緊急命令の性格と手続

（一）　緊急命令についての考え方

(1)　緊急命令をいかなるものとみるかについては学説がわかれている。というより、民訴法ないしその他の争訟手続法にある既存のどの制度に類推するか、で見解が分散している。技術的には、被申立人の意見を徴すべきか、審訊を行なうのが適当か、口頭弁論に近いことを行なえるか、等が問題にされようが、仮処分制度の類推が最も多い（吾妻・条解二一三頁、東大・労組法二二六頁、菊池＝林・労組法二九三頁）。

考え方のわかれる原因には、これについての決定で理由を付するものが少なく（昭和三五年七月まで取消変更申立抗告等に対する決定をふくめて六三――筆者推算――のうち理由の全くつけられていないとみられるもの四〇をしめる）、後述のように抗告等の不服が認められていないため判例の考え方の集積がないことのほか、タフト・ハートレイ法一〇条(e)項の執行力賦与（命令の執行および適当な一時的救済ないし中止命令）と同法一〇条(j)項（コンプレイントを発した直後の一時的救済ないし中止命令）に類似した考え方が基礎にありながらこれらの制度の単なるもほうでもないためである。

(2)　ここで過去の実績、つぎに判例にでた主要な考え方をふり返ってみることは、緊急命令の性格を語る上において、重要な意味をもつ。まず過去の緊急命令申立事件においては一部却下はあっても全面的却下がなく、しかも事情に応じ割合に簡単に取消変更されるということ、である。つぎに決定中には申立の一部を認めることが案外多いということである（筆者の責任において調べたところによると、当初の申立――異議とか変更申立の場合を除く――に対する決定では、申立どおりの内容で認めた事例は、総件数四四中二〇、その他は何らかの裁量を行なつている。）。

この二つのこととさきにのべた理由をつけないものが非常に多いこととをあわせ考えたとき、一応つぎのことがいえるのではあるまいか。つまり、労働委員会の命令をできるだけ尊重したうえでの一時的な処置であり、その処置は、実質的に行政処分に近い性質をもち、かつ申立の範囲に拘束されるものの相当大幅の裁量をもつたもの、であり、それは「便宜的応急的仮の措置であり、立法者が裁判所において申立の目的を達するため変通自在、臨機応変に立ち振舞うことを当然予想しているものと解さなければならないから、裁判所が労働委員会から本件のような労働組合法二七条五項（現行は七項—筆者註）による申立をうけたときは、裁判所の自由な意見ないし裁量により、申立の目的を達するに必要な限度及び方法で裁判すれば足り」（柏木町役場事件、青森地決昭二六・二・八労民集二・一・九五）というに近い。

(3) その裁量がいかなる点をみて行なわれるかによつて、緊急命令の必要性の審査ないしは適法性の審査の問題が生じてくる。以下項を改めてこの二点について言及していく訳だが、その前に判例にあらわれた緊急命令の性格についての主要な考え方にふれておこう。必要性適法性審査の問題も結局この制度の性格をいかに理解するかによつて変つてくる。

もちろん、緊急命令が「本案確定にいたるまでの暫定的措置」（鳥取県教委事件、鳥取地決昭二五・五・二九労働資料八・一六一・三）たることには何人も異論あるまい。したがつて、これについてあるいは仮処分的なもの（北陸金網事件、新潟地決昭二七・一二・二七労民集四・三・二〇七、柏木町事件、青森地決昭二六・二・八労民集二・一・九五）、行政処分の執行停止に類するもの（柏木町前掲）、仮執行宣言や強制執行停止に近似する（日本食糧倉庫事件、京都地決昭二八・八・五労民集四・四・三四五）、というも、これらに共通する暫定的一時的な性格をいいあらわしたものにほかならず、その本質ないし手続についてそれほど異なつた考え方を表現したものでもない。ただ緊急命令を執行罰の予告に類するものとして仮処分的なものでないとした後記【81】に異色があるが、これとて暫定的な性格を否定したものでもない。

(4)　このような緊急命令の目的についての考え方には二つの流れがあつて、「緊急命令の重点は救済命令取消の訴訟係属中における労働者の生活困窮を防止するという労働者の経済的利益の保全にあり」(近畿大学事件、大阪地決昭二六・一二・一七労民集二・六・七三三)とし後述する緊急命令の必要性をもつぱらそこに求めるものと、「労働者の経済的保護ならびに団結権の保護(北陸金網事件、新潟地決昭二七・一二・二三前掲)の両者を併列的に考えていくもの」とに分れる。異色ある【81】の考え方は「使用者に心理上の圧迫を加えて救済命令の履行を強制しようとするのが緊急命令制度の設けられた所以である、と考えられるので、緊急命令は救済命令によつて使用者が課せられた公法上の義務の履行を強制することを目的とするもの」ということになり、大分様相を異にしてくる。

結局緊急命令は使用者の不履行を前提とする、前記のような性格をもつた処分であり、その裁量に際し、団結権保護、労働者の経済的保護等の必要を考慮されるもの、ということができる。

(二)　申立人、受訴裁判所、抗告等　　(1)　申立人は労働委員会に限られること文理上明らかであるが、変更申立取消申立等は労働委員会使用者双方がなしうる(労組法二七条七項)。七項の当事者中に労働者ないし労働組合を認めたと解される事例(広島市役所事件、広島地決同地裁昭二七(モ)七、昭二七・九・一七労行資四・二五五)があるが疑問である。

(2)　法二七条七項の受訴裁判所については、本案が現在係属中の裁判所をさし、取扱いも判例【77】

も一致しているし、また係属中にのみ効力を有し係属を離れれば当然に失効する【79】。

【77】「その性質は仮執行宣言や本案に付随した強制執行停止等の一時的処分に酷似し、その申立の当否、緊急命令を発すべき範囲、程度の判断や疏明の利便や既になした緊急命令を当事者の申立により若しくは申立をまつまでもなく職権をもつて取消し変更する等緊急命令の審理裁判が本案行政訴訟の審理の推移に密接な関係を有するが故に、かかる付随的裁判は之を本案訴訟の係属せる裁判所をして管轄せしめるのが最もその制度の本質に副う所以である。仮りに行政訴訟が控訴裁判所に係属するときでもその第一審裁判所に対し緊急命令の申立が許されると解するならば、一方では控訴裁判所において該事件の当事者である使用者の申立により或は職権をもつて救済命令の執行を停止し、他方では第一審裁判所において労働委員会の申立によつて救済命令を容認する緊急命令がなされるというような法の庶幾しない奇異の事態の生ずることも起りうることとなる。以上の如く緊急命令を申立つべき受訴裁判所とは、本案行政訴訟が現に係属する裁判所をいうのであつて、かつて該行政訴訟が第一審として係属した裁判所をいうものではないと解する。このことは民事訴訟法の諸規定において受訴裁判所なる用語を第一審として係属した裁判所の意味に用いる場合常にその旨明記してあるを例とする（同法六〇条、一〇〇条、五二一条、五四五条、五五七条、七三三条、七三四条）にかかわらず前記労働組合法の規定には単に受訴裁判所とのみ表示していることからも推論できることである」（日本食糧倉庫事件、京都地決昭二八・八・五労民集四・四・三四五）。

(3)　つぎに労組法二七条七項は、当事者の申立または職権で自由にその決定を取消し変更することができる旨規定している。このことから一般に緊急命令に対する抗告は許されないものと解され、判例【78】も確立したとみてよい。

【78】「労働組合法二七条五項（現在七項―筆者註）に則り受訴裁判所が当該労働委員会の申立によりなしたい

わゆる緊急命令に対しては使用者は抗告の申立をすることができないものと解するを相当とする。けだし労働組合法上かかる緊急命令に対し抗告権を認めた規定がないばかりでなく、前記条項によれば受訴裁判所は審理の経過に鑑み適当と認めるときは何時でも当事者の申立により若しくは職権で一旦発した緊急命令を取消し若しくは変更することができ、従つて特に抗告の申立を認める必要がないからである」（一畑電鉄事件、広島高松江支部決昭二七・一一・二九高裁民集五・一・二四、同旨、勝光山鉱業所事件、広島高決昭二九・二・一六労民集五・二・一七二）。

(4)　したがつて、変更申立ないし取消申立が却下された例あり、認容された例あり、職権取消しの例もあるのである。取消された例の半数以上は事情変更（基地閉鎖）によるものである。事情変更でも【79】のような場合がある。

【79】「緊急命令に基き使用者に課せられた公法上の義務は、申立人主張のような使用者と被救済労働者ないし救済申立人との私的な話し合いの成立という事情だけで、その履行をしないでよかつたとする事情とはいえないから、かかる事情があるからといつて、前記緊急命令を遡つて取り消すのを相当とけ考えられない。次に緊急命令は救済命令をうけた使用者が右命令又はこれに対する再審査申立棄却命令の取消訴訟を提起し、その訴訟が、裁判所に係属する間にかぎつて効力を有すべき命令であることは労働組合法二七条七項、二八条、三二条の諸規定により明白である。従つて前記取消訴訟の取下があつた以上、緊急命令は当然に失効し、その後は同法三二条後段により労働委員会の救済命令違反の有無だけが問題となるわけである」（塩田組事件、東京地決昭三四・六・四労民集一〇・三・五〇〇）。

二　緊急命令の必要性

（一）　労働者の経済的必要のみを強調するもの

緊急命令の必要性について、その審査の必要性

なしとする

【80】「(労働者個人の生活が窮迫した事情がないという抗弁に対し)元来労働委員会は準司法機関として不当労働行為の存否につき民事訴訟の口頭弁論に匹敵する充分なる審問を経たうえ裁判所の判決に相当する救済命令を発するものであつて、使用者が該命令に従わない場合において労働委員会は該命令を強制力をもつても履行せしむる必要ありと認めたとき裁判所に対し緊急命令の申請をなすものである。従つて緊急命令を発することの必要性の有無の如きは専ら労働委員会において裁判所に緊急命令の申請をすべきかどうかを決するにあたり考慮すべき事柄であつて、裁判所の審査すべき事柄ではない。ただ裁判所は労働委員会の救済命令が使用者の不当労働行為を排除するに必要なものかどうかを審査しさえすればよいのである」(鳥取県教委事件、鳥取地決昭二五・五・二九労働資料八・一六一・三)。

の立場があるが、かかる立場を明示したものは少い。後記【81】は、やや結果的にこれに近いが、多くの緊急命令は、救済命令で救済された個人の、生活に相当逼迫した事情の存することを一応推認(柏木町役場事件、前掲)、解雇以来生活に窮迫している事情は一応窺うことができ(朝日新聞事件、東京地決昭二六・一〇・三〇労行資二・一三八)、その生活に相当困窮しているものと認めるに難くない(近畿大学事件前掲)、他に就職し相当の収入を得ている如き特段の事実を認定する資料は全くなく(加古川精神病院事件、神戸地決昭三一・一〇・一一労民集七・六・九八三)、という風にその必要性を労働者の経済的必要に求めている。このことは、緊急命令の決定中理由を付していないものの相当数が経済的部分のみあるいは今後の給与のみの支払を命じている事実からもうかがうにたりる。すなわち、多くの緊急命令では、その性格を労働者の経済的利益の保全に重点をおいて理解されてきたといえる。労働委員会の緊急命令申立書でもその傾向があつた。

(申立理由の典型)「もしこの訴訟が解決するまで申立人委員会の発した前記命令の内容が実現されないならば、右の救済をうけた労働者およびその家族の生活は甚だしく窮乏し、回復すべからざる損害を蒙ることは明らかであり、ひいては労働組合法の立法精神は没却されるに至ることになるので」(弥栄自動車事件の中労委の緊急命令申立書中より)。

(二)　その他の要素を強調するもの　しかし、経済的必要と併わせて団結権の保護を強調し「(一部を認容しなくても) その余の命令によって労働者の経済的保護並びに団結権の保護に欠くるところがないもの」とした(北陸金網事件、前掲)ものがあるし、経済的必要と共に「現在にいたるまでこれを任意に履行せずかつこれを履行する意思が全くない」ことを指摘(加古川精神病院事件、前掲)するものもある。このことを強調すれば

【81】「元来労働委員会の発する救済命令は、不当労働行為を行った使用者に対し、労働者に対する原状回復を命ずる行政処分であり、この命令は、その書面の写が当事者に交付されることによって直ちに効力を発生する。そして使用者が地方労働委員会の救済命令に対し再審査の申立をしても、命令の効力は停止されないし、又使用者が中央労働委員会の再審査棄却命令に対し取消訴訟を提起しても、執行停止の決定を得ない限り、命令の効力は停止されない。従って右命令は、確定判決によって取り消されるまで一応適法性と有効性を保有するわけであるから、使用者は、常に遅滞なく、救済命令を履行する公法上の義務を負う(中央労働委員会規則四五条一項、五六条一項)。しかして、使用者が命令を履行しない場合、これが行政上の強制執行の方法としては、直接強制又は執行罰により得る規定なく、又行政代執行法の規定する代執行により得る場合があるとしても、その性質上一般的に代執行に適さないから、これとても容易に実効性を期待することができない。そこで、救済命令取消訴訟の判決確定前に、裁判所が使用者に対し命令の全部又は一部に従うべき旨の緊急命令を発し、延いては緊急命令に違反する使用者を過料に処する旨を規定し、使用者に心理上の圧迫を加えて救済命令の履行を強制しようとするのが、緊急命令制度の設けられた所以である、と考えられるので緊急命令は救済

命令によつて使用者が課せられた公法上の義務の履行を強制することを目的とするものであり、その目的において、執行罰の前提要件たる予告に類似し、私法上の権利関係の不確定のため生ずる著しい損害をさけるため、私人間に暫定的な地位状態を形成することを目的とする仮の地位を定める仮処分と異るわけである。右のような緊急命令の目的に徴すれば、緊急命令の必要性の有無は、主として使用者が救済命令を自発的且つ誠実に履行する意思を有するかどうかによつて判断すべきものであつて、救済命令の不履行によつて労働者の被る損害又は生活の困窮の如何によつてのみ判断すべきものではないと解するのが相当である。然らば、前記申立人S外二名が生活に困窮していないとしても、この一事によつては当然には、緊急命令の必要性を阻却する理由とはなし難く、申立人が本件救済命令を履行しようとしない限り、緊急命令の必要性は存在するといわなければならない。仮に申立人主張の如く、緊急命令の必要性を使用者の義務の不履行によつて、労働者の被る損害の如何によつてのみ判断すべきものとしても、労働者が他から収入を得ているとの一事によつて本件救済命令が履行されなくとも、損害はないと断言できないことは勿論、同人等が現に受けている給与が将来に亘つても確定的に保障されているものと断定することもできないし、又それらの給与は、申立人が本件救済命令の趣旨に従い、同人等を原職に復帰させるならば、同人等が得られる給与よりも遥かに少額なものであるから、緊急命令の必要性がないということはできない」（東京調達事件、東京地決昭三一・六・二五労民集七・三・五一九）。

ということになつてくるし、団体交渉のみの緊急命令を命じた

【82】「本件被申立人らのうちB会社は自発的に単組と、本件救済命令の主文第二項において命令されているところと同一条件の下に、すなわち単組の委任をうけた合化労連の役員若干名が参加するという状態の下で問題の団体交渉を行なう意思を有しているが、その他の本件被申立人らはいずれも昭和三五年度の賃金要求に関して単組とのみ団体交渉をするについてはやぶさかではないけれども、その交渉に単組の委任をうけた合化労

連の役員であつても参加させることは拒否するほかないとの態度を堅持していることが、本件審尋の結果明らか」(合化労連事件、東京地決昭三五・七・二九労民集一一・四・八〇七)。

だから緊急命令を発する必要があるもの、となつてくる。

いつぽう本件では別に主文の内容と理由の性格を考慮したうえでの必要性を

【83】「叙上のような本件救済命令が発せられた理由その主文第一項の救済方法としての性格に鑑みるときは、本件救済命令中主文第一項については、緊急命令によつて会社に対しその履行を強制する程の必要はないものと認めるべきである」(同右事件)。

と裁量しているのである。

三　救済命令の適法性の審査

相当詳細にわたつて不当労働行為たることを推測ないし認定(鳥取県教委事件、前掲)したものもあるが、通常は「不当労働行為と一応認定する疏明あるもの」(朝日新聞事件、前掲)、「疏明資料によれば……不当労働行為と認定したことは一応相当と認められ」(北陸金網、前掲)ということになろう。

しかし経済的必要を強調したものにはこの点ふれるところがないか(近畿大学、前掲)「本案請求の当否についての見解は今ここで披瀝する時機でないから差控える」(柏木町役場、前掲)とするし、また、任意に履行しないことを強調する場合もあり(加古川前掲)全くふれないこともあり、とくに最近では理由を付したものでもその点にふれない向きが多くなつてきている。

四　緊急命令違反

違反すれば法三二条により過料に処せられる。確定命令違反、確定判決支持命令違反よりも数の上では比較的多いが、そうしばしばあるものではない。抗告審を除けば制度発足以来一〇件たらずである。それでも比較的多いのはまだ係争意欲の旺盛な時期だからだろうか。

法が確定命令違反の場合の労働委員会の通知義務について、二七条九項に規定しているのに準じ、緊急命令違反の場合も、規則五〇条一項五号に管轄裁判所に対する通知義務を規定し、この通知により過料裁判が行なわれる。

過料決定に当つては、非訟法二〇七条の規定にもとづき、当事者の陳述をきき、検察官の意見を求める。当事者のなかに労働委員会が入るかどうかについては前出【53】がある。

法三二条の違反一日につき一〇万円以下という規定に対し現実にはどの程度の過料が行なわれてきたかを見ると、完全不履行の朝日硝子事件第一回(大阪地決昭二七・一一・三労民集四・一・一八)では不履行一一日につき三万三千円、朝日硝子事件第二回(大阪地決昭二八・三・二労民集四・一・一五)では不履行約四カ月につき三〇万円、朝日硝子事件第三回(大阪地決昭三〇・二・二一労民集六・一・五八)では破産申立をうけている情状を斟酌し二年近くについて一〇〇万円、塩田組事件(神戸地決昭三四・四・六労民集一〇・三・五〇〇)では約一〇カ月につき四五万円、となつている。一部違反の双葉講事件(高知地決昭三一・九・二五労民集七・五・八六八)では、命令のほとんどすべて(ポスト・ノーティス、原職復帰)を形式的には履行したただバックペイの算出に間違いあるとして五万円、また実質的にはほとんど履行したとみられる(賃金支払につき一部不履行はあつたが、不履行通知後その大部分を支払つたもの)淀川製鋼事件(大阪地決昭三〇・二・二一労行資三・一八五)で二〇万円の決定が行なわれている。

非訟法二〇七条三項の規定による抗告も行なわれている。抗告理由について、労働委員会の命令が誤判であるということ（朝日硝子事件、大阪高決昭二八・五・一二労行資三・一九六、朝日硝子事件（第二回）大阪高決昭二八・七・一労行資三・一九八、吉田木材事件、大阪高決昭三三・七・八労民集九・四・四六九、淀川製鋼所事件、大阪高決昭二九・一二・一六労民集五・六・七〇八）、事情があつて履行できないこと（朝日硝子同上）、誤判であるうえ過大な要求を履行できない財政状態であること（朝日硝子事件、第二回大阪高決昭二八・七・一労行資三・一九八）等は理由たりえない。また命令の給与相当額を労働基準法一二条一項、二〇条一項本文に準拠して算出すべきで、固定給のみを基準にすべきでない（したがつて労基法基準でみて不履行とみたのは相当）とした高知双葉講事件の抗告審（高松高決昭三二・四・二〇労民集八・三・二八七）の考え方は、条理上当然かもしれないが、この種のことがこの段階でも当事者の間で疑問たりうる点は「主文」の項でみたように考慮を払つていくべき点だろう。

本件は別の理由で原審決定が取り消された。その理由とするところは

【84】「過料は刑罰ではないけれども行政罰として一種の制裁であるからその制裁をうける対象は自然人か法人に限るものと解すべきであるところ、原決定により過料に処せられた高知双葉講は果して法人であるかどうか記録上明らかでない（民事訴訟法上当事者能力を認められているからと言つて直ちにその者が制裁の対象であるとは認められない。労働組合法二八条の罰則の如きは法人にさえ適用できぬ）。従つて抗告人が法人であるかどうかの点（若し法人でなく組合であるとすれば前記のとおり組合員を制裁の対象とせねばならぬ）を十分調査すべきものと認められるから民訴法四一四条、三八九条により原決定を取消し本件を高知地方裁判所へ差戻す」（高知双葉講事件、高松高決昭三二・四・二〇労民集八・三・二八七）。

とするものである（カッコ内の傍論については、すでに確定命令違反の項でのべたところである）。

また、和解が成立し労働者の利益が保護される結果となつた場合は、たとえ不履行の事実があるとしても、実質上違反がなかつたものと同視される【85】。

【85】「労働組合法三二条が同法二七条七項のいわゆる緊急命令に違反した使用者を過料に処するのは、緊急命令の履行を確保し、その結果、労働委員会が、使用者に不当労働行為があつたとき、労働者側に救済を与えるため、同条四項により発したいわゆる救済命令の履行を確保せんとする制度であつて、その趣旨とするところは、結局、労働者側を簡易迅速な手続によつて保護せんとするにあるものと解すべく、従つて緊急命令後、労使間に和解成立し、これによつて不当労働行為事件が円満に解決し、労働者側の利益が保護されたような場合には、も早緊急命令、延いては救済命令の履行を確保し、労働者側を保護する必要がないことになるから（緊急命令自体の取消理由たりえない点については【79】参照―筆者註）、たとえ使用者に緊急命令に従わなかつた事実があるとしても、実質上緊急命令違反の行為がなかつたものと同視すべく、同法三二条により使用者を罰することはできないものと解すべきである」（塩田組事件、大阪高決昭三四(ラ)一一六号、昭三五・三・二〇労委速報四九三）。

ということになる。

過料決定に対し最高裁に特別抗告（民訴法四一九条の二）した例が二件ある。いずれも民訴法所定の場合にあてはまらないとして却下されている。

【86】「最高裁判所が抗告に関して裁判権をもつのは、訴訟法において特に最高裁判所に抗告を申し立てることを許した場合に限られる。そして民事事件については、民訴法四一九条ノ二に定められている抗告のみが右の場合に当ることは、当裁判所の判例とするところである（昭和二二年(ク)一号同年一二・八決定参照）。従つて最高裁判所に対する抗告申立には同四一三条は適用がなく、その抗告理由は同四一九条ノ二によつて、原決定において法律、命令、規則又は処分が憲法に適合するかしないかについてなした判断を不当とするものでなけ

ればならない。しかるに、本件抗告理由は、違憲をいうが、その実質は大阪府地方労働委員会が昭和二六年(不)四五号不当労働行為救済事件につき出した命令は誤判の疑があり、同委員会は事実無根の申立をして、裁判所にいわゆる緊急命令（労組法二七条七項）を発せしめたり、本件過料の制裁（同法三二条前段）を科せしめたりしたことの違法を攻撃するに過ぎない（裁判所の発した緊急命令に違反したとき裁判所が過料を科することを得るのは、前記法条に照らして明らかであり、原審決定には何等の違法もない。前記委員会の命令が誤判であるか否かは本件緊急命令違反事件には直接関係がないところである）。それ故、違憲の主張は不適法であるから、本件抗告を不適法として却下」（朝日硝子事件、最高昭二八(ワ)二三一号、昭二八・一二・二八労行資四・二五六、同旨、吉田木材事件、最高昭三三(ワ)二五六号、昭三三・一〇・九労委速報四五八）。

五　執行停止

行政訴訟を提起しても救済命令はその効力を維持している。普通労働委員会の緊急命令の申立と前後してあるいは対抗して、行訴特法一〇条二項による執行停止の申立をすることが多いので、便宜上ここで取り扱う。

行政代執行法が適用されることはなく、また誤ってこれを適用してきてもそれぞれの手続内で争えるから、執行停止は無意味であるとする消極説（中島・講座二巻四四三頁、西・判タ一九・二七）と積極説（柳川＝高島・争訟三一七頁）が対立しているが、現実に代執行した事例はない。

判例は多く積極説の立場に立ち執行停止の利益あり【87】とするが、執行停止を認めた事例は、一件もなくすべて却下である。

【87】「その救済命令の内容が代執行に適する場合（例えば本件命令第四項）には行政代執行法第二条所定の要件を満す限り代執行の方法によりその内容を強制的に実行することができるし、その命令の内容が代執行に

適しないものであつても、裁判所が労働委員会の申立にもとづき労働組合法二七条七項により緊急命令を発するときは、これに従わない使用者は同法三二条により過料の制裁を受け救済命令の履行を間接に強制される等の法律上の効果が発生するのであるから、右のような代執行又は緊急命令が発せられる以前においても、かかる法律上の効果を阻止するため労働委員会の救済命令そのものの効力を停止する利益がある」（主文四項はポスト・ノーティス—筆者註）（国華タクシー事件、宇都宮地決昭三五・四・八労民集一一・二・三一八）。

一応命令の適法性を推定するもの（朝日新聞事件、東京地決昭二六・一〇・二七労行資二・一五六）もあるが、行訴特法一〇条二項の「償うことのできない損害」がない【88】とするもの最も多く（朝日硝子事件、大阪地決昭二七・四・一一労行資二・一六二、北陸金網事件、新潟地決昭二七・一二・一三労行資二・一六三、国華タクシー事件、宇都宮地決昭三五・四・八労民集一一・二・三一八、八弥栄自動車事件、東京地決昭三四・一二・一五労民集一〇・六・一〇五一等）、なお加えて緊急の必要なしとする【89】ものもあり、また理由の全く付されていないもの（一畑電鉄事件、松江地決昭二七・一一・八労行資二・一六一、沢タクシー事件、鳥取地決昭二九・六・一七労行資三・二〇七）もある。

【88】「救済命令中賃料相当額の金員支払命令について考えてみると、金員支払命令の性質上これを履行することによつて使用者の蒙る損害は必然的に金銭損害に外ならないから、前示法一〇条二項に定むる『償うことのできない損害』と認めることはできない。従つて本件賃料相当額の金員支払命令に関する救済命令の執行停止は許されないといわねばならない。もつとも右金員支払命令に関する救済命令に対し緊急命令が発せられ、使用者がこれに違反すれば労組法三二条により過料の制裁を受ける場合が生じ得ることは勿論であるけれどもこのような事態が生ずるのは専ら救済命令に対して緊急命令が発せられているにもかかわらず、使用者がその緊急命令に従わないという使用者独自の行為が介入している結果である以上、使用者において罰則の適用を受けるような事態の発生は使用者にとつて『償うことのできない損害』と認むべきであるとしても、右損害は使用者自身の行為の直接の結果であり救済命令とは間接の関係に立つにすぎないものであつて、要は使用者にお

いて金員の支払を命ずる救済命令に従いさえすればことは足るのであるから、結局金銭的損害を蒙るにすぎないものと認むべきである」（近畿大学事件、大阪地決昭二六・一一・一七労民集二・六・七三三）。

【89】「救済命令中復職命令について考えてみると、被申立人が右救済命令に対してなした緊急命令の申立は復職命令に関する部分に限り既に却下されているから、事情の変更がない限り、もはや緊急命令の発せられる余地はなく、仮りに事情の変更により将来緊急命令の発せられる可能性はないではないにしても、この程度の可能性を以って行訴特法一〇条二項に定むる緊急の必要がある場合と認めることはできない。従って本件復職命令の執行停止は許されないといわねばならぬ」（近畿大学事件、同右）。

労働委員会命令の執行停止と緊急命令との関係にとくにふれたものとして

【90】「労働委員会から不当労働行為の救済措置を講ずべきことを命ぜられた使用者がその命令について行政事件訴訟特例法一〇条二項により執行の停止を求めている場合に、他方において当該労働委員会がその命令に関し緊急命令の申立をしたときには、裁判所は、この二つの申立のうちいずれか一方を認容し、他方を却下するという二者択一の裁判をすべきであって、一面において労働委員会の命令について緊急命令を発しながら、他面において執行停止の申立をも認容するような判断の分裂は許さるべきではないことになる……被申立人中央労働委員会の前掲命令のうち、緊急命令の発せられた部分についてはその執行を停止する余地がなく……その余の部分についてはその執行により申立人に償うことのできない損害を生ずる事情があるものとは認められない」（弥栄自動車事件、東京地決昭三四・一二・一五労民集一〇・六・一〇五一）。

がある。

〔付記〕　原稿執筆完了後、労働判例中審査手続に関連するものが相当数公表されているので、そのうちとくに本文の加除訂正を要するものを左に摘記する。

1、小畑鉄工所事件　神戸地社支判昭三五・七・一二労民集一一・四・七六三

2、小畑鉄工所事件　神戸地姫路支判昭三五・八・八労民集一一・四・八三七

〔両判決とも、四、申立の相手方二主体の消滅変更（二）主体の実質的消滅、本文一〇二頁、に関連を有し、前者は【19】の反対側、後者は【19】とは異なりながら解雇無効をきめている〕

3、英語通信社事件　東京地労委昭三五・四・三〇労委速報五〇五

4、日本写真通信社事件　東京地労委昭三五・一〇・六労委速報五〇八

〔両事件とも、四、申立の相手方二主体の消滅変更（二）主体の形式的消滅、本文一〇五頁、に関連を有し、前者は形式的に消滅すべき清算人に救済内容を実現すべきことを命じ、後者は清算人に新経営主の下で就業せしむる等の救済内容を実現すべきことを命じている〕

5、山恵木材事件控訴審、東京高判昭三五・一〇・一〇労政時報一五八六号

〔四、申立の相手方三いわゆる第三者（二）その可能性本文一一三頁【23】の控訴審判決で、【23】の結論を覆しているのであるが、本文引用の部分の考え方から導き出されるもの、すなわち、労働委員会がいわゆる第三者を名宛人にすること、にはふれていない〕

6、東京調達事件控訴審　東京高判昭三六・一・三〇

〔七、合議と命令二命令の主文（一）主文一般本文一五〇頁〜一五二頁、バックペイにつき他で働いてえるべき賃金を控除しなかったのは違法としてその部分を取消した事例で、目下最高裁の上告審係属中である〕

7、都島自動車事件　中労委昭三五・一二・七

〔八、再審査の手続一申立による再審査（二）再審査申立(3)本文一六四頁、再審査時に初審申立人が消滅した場合初審被申立人よりの再審査申立に対する処置として再審査申立を却下する考え方を示している〕

8、英語通信社事件　東京地決昭三五・八・三一労民集一一・四・九二五

〔一〇、緊急命令と執行停止—緊急命令の性格と手続(一)緊急命令に対する考え方(2)本文一九四頁、に関連、会社解散・新会社設立の事件で、清算中の解散会社と新会社の同一性を認定したうえで解散会社に原職復帰バックペイを命じた地労委命令の緊急命令事件において、新会社との関連をも考慮した決定である。この決定を重くみると、本文中でのべた「相当大幅の裁量」という性格が更に強調されてくる〕

文献略語　凡例以外の引用の略語はつぎのとおりである。

北海道地労委昭三一・五・一〇令集五・一五〇　北海道地方労働委員会昭三一・五・一〇命令、中央労働委員会編　不当労働行為事件命令集五集一五〇頁

労委時報二三九　中労委会館発行　中央労働時報二三九号

労委速報二二二　中労委会館発行　労働委員会速報二二二号

労行資二・一七三　中央労働委員会編　行政訴訟資料集二巻一七三頁

石井・労働法　石井照久　労働法（法律学講座）

三藤・諸問題　三藤正　不当労働行為の諸問題

柳川＝高島・争訟　柳川真佐夫＝高島良一　労働争訟

和田＝吾妻・註解　吾妻光俊編　註解労働組合法（和田一）

色川・講座二巻　日本労働法学会編　労働法講座二巻（色川幸太郎）

斎藤・講座二巻　日本労働法学会編　労働法講座二巻（斎藤秀夫）

三藤・講座二巻　日本労働法学会編　労働法講座二巻（三藤　正）

中島・講座二巻	日本労働法学会編　労働法講座二巻（中島一郎）
吾妻・条解	吾妻光俊　条解労働組合法
吾妻・概論	吾妻光俊　条解労働組合法
菊池＝林・労組法	菊池勇夫＝林迪広　労働組合法
石井＝萩沢・全集 15	石井照久＝萩沢清彦　判例法学全集一五巻
柳川他・全訂	柳川真佐夫他四氏　全訂判例労働法の研究
東大・註釈	東大労働法研究会　註釈労働組合法
大風・制度と手続	大風重夫　不当労働行為の制度と手続

判 例 索 引

最高裁判所判例

高等裁判所判例

地方裁判所判例

中央労働委員会裁定

地方労働委員会裁定

著者紹介

三《みつ》藤《ふじ》　正《ただし》　成城大学教授
大《や》和《まと》哲《てつ》夫《お》　中央労働委員会審査第二課長

総合判例研究叢書　**労働法（8）**

昭和36年2月28日　初版第1刷発行
昭和38年7月30日　初版第2刷発行

著作者　三藤　正
　　　　大和哲夫

発行者　江草四郎

東京都千代田区神田神保町2ノ17
発行所　株式会社　有斐閣
電話（331）0323・0344
振替口座東京370番

秀好堂印刷・稲村製本

総合判例研究叢書 労働法(8)
(オンデマンド版)

2013年2月15日　発行

著　者　　三藤　正・大和　哲夫
発行者　　江草　貞治
発行所　　株式会社 有斐閣
〒101-0051　東京都千代田区神田神保町2-17
TEL　03(3264)1314(編集)　03(3265)6811(営業)
URL　http://www.yuhikaku.co.jp/

印刷・製本　　株式会社 デジタルパブリッシングサービス
URL　http://www.d-pub.co.jp/

AG551

ISBN4-641-91077-4　　Printed in Japan